#교과서×사고력
#게임하듯공부해
#스티커게임?리얼공부!

Go! 매쓰
초등 수학

저자 김보미

- 네이버 대표카페 '성공하는 공부방 운영하기' 운영자
- '미래엔', '메가스터디', '천재교육' 교재 기획 및 집필
- 전국 1,000개 이상의 공부방/선생님 컨설팅 및 교육
- 현재 〈GO! 매쓰〉 수학 공부방 운영

Chunjae
Makes
Chunjae

▼

기획총괄	김안나
편집개발	이근우, 서진호, 최수정, 김혜민
디자인총괄	김희정
표지디자인	윤순미
내지디자인	박희춘, 이혜미
제작	황성진, 조규영

발행일	2021년 1월 15일 2판 2023년 12월 1일 2쇄
발행인	(주)천재교육
주소	서울시 금천구 가산로9길 54
신고번호	제2001-000018호
고객센터	1577-0902
교재 구입 문의	1522-5566

교과서 GO! 사고력 GO!

GO! 매쓰

Run-B

교과서 사고력

수학 6-1

구성과 특징

교과 집중 학습

1 교과서 개념 완성

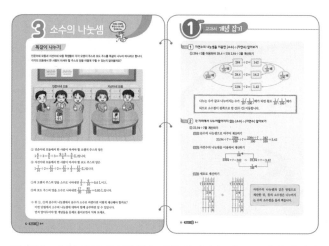

재미있는 수학 이야기로 단원에 대한 흥미를 높이고, 교과서 개념과 기본 문제를 학습합니다.

2 교과서 개념 PLAY

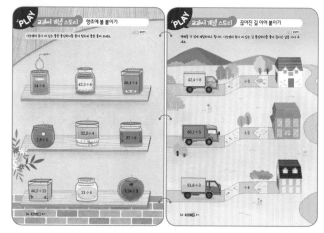

게임으로 개념을 학습하면서 집중력을 높여 쉽게 개념을 익히고 기본을 탄탄하게 만듭니다.

3 문제 풀이로 실력 & 자신감 UP!

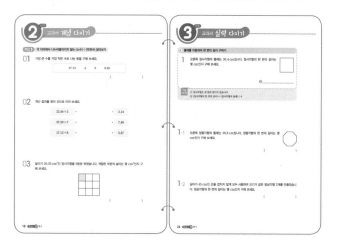

한 단계 더 나아간 교과서와 익힘 문제로 개념을 완성하고, 다양한 문제 유형으로 응용력을 키웁니다.

4 서술형 문제 풀이

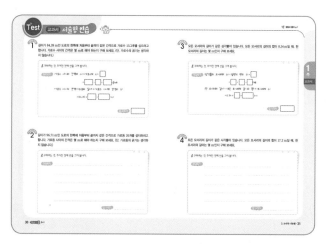

시험에 잘 나오는 서술형 문제 중심으로 단계별로 풀이하는 연습을 하여 서술하는 힘을 높여 줍니다.

2주차 사고력 확장 학습

1 사고력 PLAY

교과 심화 문제와 사고력 문제를 게임으로 쉽게 접근하여 어려운 문제에 대한 거부감을 낮추고 집중력을 높입니다.

2 교과 사고력 잡기

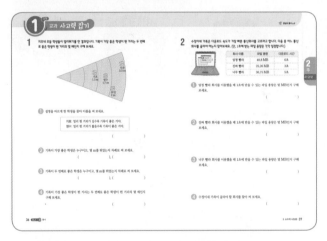

문제에 필요한 요소를 찾아 단계별로 해결하면서 문제 해결력을 키울 수 있는 힘을 기릅니다.

3 교과 사고력 확장＋완성

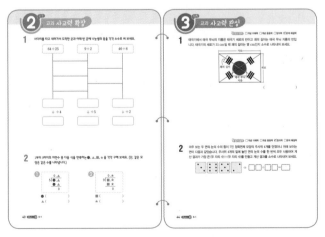

교과 학습과 사고력 학습을 얼마나 잘 이해하였는지 평가하여 배운 내용을 정리합니다.

4 종합평가 / 특강

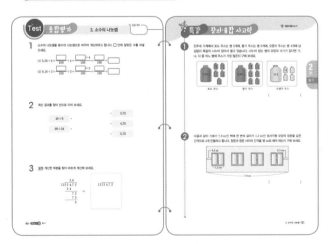

교과 학습과 사고력 학습을 얼마나 잘 이해하였는지 평가하여 배운 내용을 정리합니다.

3 소수의 나눗셈

단원과 관련된
똑같이 나누기를
살펴보아요.

똑같이 나누기

민준이네 모둠과 지선이네 모둠 학생들이 각각 오렌지 주스와 포도 주스를 똑같이 나누어 마시려고 합니다.
각각의 모둠에서 한 사람이 마셔야 할 주스의 양을 어떻게 구할 수 있는지 알아볼까요?

① 민준이네 모둠에서 한 사람이 마셔야 할 오렌지 주스의 양은

$$1\frac{4}{5} \div 3 = \frac{9}{5} \div 3 = \frac{9 \div 3}{5} = \frac{3}{5} \text{ (L)}$$입니다.

② 지선이네 모둠에서 한 사람이 마셔야 할 포도 주스의 양은

$$1\frac{7}{10} \div 2 = \frac{17}{10} \div 2 = \frac{17}{10} \times \frac{1}{2} = \frac{17}{20} \text{ (L)}$$입니다.

①의 오렌지 주스의 양을 소수로 나타내면 $\frac{3}{5} = \frac{6}{10} = 0.6$ L이고,

②의 포도 주스의 양을 소수로 나타내면 $\frac{17}{20} = \frac{85}{100} = 0.85$ L입니다.

→ 위 ①, ②의 분수의 나눗셈에서 분수가 소수로 바뀐다면 어떻게 계산해야 할까요?
이번 단원에서 소수의 나눗셈에 대하여 함께 공부하면 알 수 있답니다.
먼저 알아두어야 할 개념들을 문제로 풀어보면서 익혀 보세요.

소수를 분수로 나타내어 보세요.

(1) 0.3 ➡ (   )　　(2) 0.19 ➡ (   )

(3) 0.6 ➡ (   )　　(4) 2.4 ➡ (   )

(5) 1.35 ➡ (   )　　(6) 3.74 ➡ (   )

 계산해 보세요.

(1) $\dfrac{9}{11} \div 3$　　　　　　(2) $\dfrac{7}{10} \div 5$

(3) $\dfrac{2}{3} \div 4$　　　　　　(4) $3\dfrac{1}{5} \div 2$

 계산해 보세요.

(1) 　4.2
　×　8

(2) 　1.6
　×　9

(3) 　2.3
　× 1.5

(4) 　5.2
　× 3.7

개념 1 자연수의 나눗셈을 이용한 (소수)÷(자연수) 알아보기

예 284÷2를 이용하여 28.4÷2와 2.84÷2를 계산하기

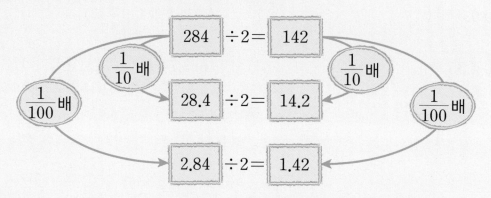

나누는 수가 같고 나누어지는 수가 $\frac{1}{10}\left(\frac{1}{100}\right)$배가 되면 몫도 $\frac{1}{10}\left(\frac{1}{100}\right)$배가 되므로 소수점이 왼쪽으로 한 칸(두 칸) 이동합니다.

개념 2 각 자리에서 나누어떨어지지 않는 (소수)÷(자연수) 알아보기

예 23.94÷7을 계산하기

방법1 분수의 나눗셈으로 바꾸어 계산하기

$$23.94 \div 7 = \frac{2394}{100} \div 7 = \frac{2394 \div 7}{100} = \frac{342}{100} = 3.42$$

방법2 자연수의 나눗셈을 이용하여 계산하기

$$2394 \div 7 = 342 \quad \Rightarrow \quad 23.94 \div 7 = 3.42$$

방법3 세로로 계산하기

```
      3 4 2
7 ) 2 3 9 4
    2 1
      2 9
      2 8
        1 4
        1 4
          0
```

→

```
      3.4 2
7 ) 2 3.9 4
    2 1
      2 9
      2 8
        1 4
        1 4
          0
```

자연수의 나눗셈과 같은 방법으로 계산한 뒤, 몫의 소수점은 나누어지는 수의 소수점을 올려 찍습니다.

개념 확인 문제

1-1 □ 안에 알맞은 수를 써넣으세요.

(1) $963 \div 3 = 321$

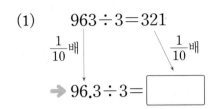

$\frac{1}{10}$ 배 $\downarrow$ $\frac{1}{10}$ 배

➡ $96.3 \div 3 = \boxed{}$

(2) $848 \div 4 = 212$

$\frac{1}{100}$ 배 $\downarrow$ $\frac{1}{100}$ 배

➡ $8.48 \div 4 = \boxed{}$

1-2 자연수의 나눗셈을 이용하여 □ 안에 알맞은 수를 써넣으세요.

(1) $684 \div 2 = 342$

$68.4 \div 2 = \boxed{}$

$6.84 \div 2 = \boxed{}$

(2) $396 \div 3 = 132$

$39.6 \div 3 = \boxed{}$

$3.96 \div 3 = \boxed{}$

2-1 소수의 나눗셈을 분수의 나눗셈으로 바꾸어 계산하려고 합니다. □ 안에 알맞은 수를 써넣으세요.

(1) $59.2 \div 4 = \dfrac{\boxed{}}{10} \div 4 = \dfrac{\boxed{} \div 4}{10} = \dfrac{\boxed{}}{10} = \boxed{}$

(2) $42.56 \div 8 = \dfrac{\boxed{}}{100} \div 8 = \dfrac{\boxed{} \div 8}{100} = \dfrac{\boxed{}}{100} = \boxed{}$

2-2 계산해 보세요.

(1)

$3 \overline{)1\,3.6\,8}$

(2)

$5 \overline{)3\,8.6\,5}$

개념 3 몫이 1보다 작은 소수인 (소수)÷(자연수) 알아보기

예 3.65÷5를 계산하기

방법1 분수의 나눗셈으로 바꾸어 계산하기

$$3.65 \div 5 = \frac{365}{100} \div 5 = \frac{365 \div 5}{100} = \frac{73}{100} = 0.73$$

방법2 자연수의 나눗셈을 이용하여 계산하기

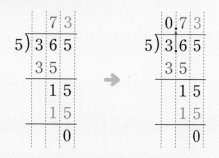

$$365 \div 5 = 73 \rightarrow 3.65 \div 5 = 0.73$$

방법3 세로로 계산하기

```
      7 3          0. 7 3
5 ) 3 6 5      5 ) 3. 6 5
    3 5              3 5
    1 5              1 5
    1 5              1 5
        0                0
```

> 자연수의 나눗셈과 같은 방법으로 계산한 뒤, 몫의 소수점은 나누어지는 수의 소수점을 올려 찍습니다. 이때, 몫의 자연수 부분이 비어 있는 경우 일의 자리에 0을 씁니다.

개념 4 소수점 아래 0을 내려 계산해야 하는 (소수)÷(자연수) 알아보기

예 2.6÷4를 계산하기

방법1 분수의 나눗셈으로 바꾸어 계산하기

→ $2.6 \div 4 = \frac{26 \div 4}{10}$ 로 바꾸면 26÷4가 자연수로 나누어떨어지지 않으므로 $\frac{260 \div 4}{100}$ 로 계산합니다.

$$2.6 \div 4 = \frac{260}{100} \div 4 = \frac{260 \div 4}{100} = \frac{65}{100} = 0.65$$

방법2 자연수의 나눗셈을 이용하여 계산하기

$$260 \div 4 = 65 \rightarrow 2.6 \div 4 = 0.65$$

방법3 세로로 계산하기

```
      6 5            0. 6 5
4 ) 2 6 0      4 ) 2. 6 0
    2 4              2 4
      2 0              2 0
      2 0              2 0
        0                0
```

> 소수점 아래에서 나누어떨어지지 않는 경우 0을 내려 계산합니다.

개념 확인 문제

3-1 자연수의 나눗셈을 이용하여 ☐ 안에 알맞은 수를 써넣으세요.

(1) $518 \div 7 =$ ☐ ➡ $5.18 \div 7 =$ ☐

(2) $315 \div 5 =$ ☐ ➡ $3.15 \div 5 =$ ☐

1주 교과서

3-2 계산해 보세요.

(1)
$$8 \overline{)\, 2.5\,6\,}$$

(2)
$$9 \overline{)\, 8.5\,5\,}$$

4-1 소수의 나눗셈을 분수의 나눗셈으로 바꾸어 계산하려고 합니다. ☐ 안에 알맞은 수를 써넣으세요.

(1) $9.4 \div 4 = \dfrac{☐}{100} \div 4 = \dfrac{☐ \div 4}{100} = \dfrac{☐}{100} =$ ☐

(2) $7.5 \div 6 = \dfrac{☐}{100} \div 6 = \dfrac{☐ \div 6}{100} = \dfrac{☐}{100} =$ ☐

4-2 나머지가 0이 될 때까지 계산해 보세요.

(1)
$$8 \overline{)\, 4\,2.8\,}$$

(2)
$$5 \overline{)\, 1\,9.3\,}$$

개념 5 몫의 소수 첫째 자리에 0이 있는 (소수)÷(자연수) 알아보기

예 3.15÷3을 계산하기

방법1 분수의 나눗셈으로 바꾸어 계산하기

$$3.15 \div 3 = \frac{315}{100} \div 3 = \frac{315 \div 3}{100} = \frac{105}{100} = 1.05$$

방법2 자연수의 나눗셈을 이용하여 계산하기

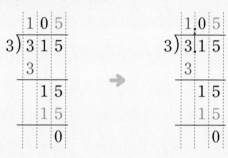

방법3 세로로 계산하기

$$
\begin{array}{r}
1\,0\,5 \\
3\,)\overline{3\,1\,5} \\
3 \\
\hline
1\,5 \\
1\,5 \\
\hline
0
\end{array}
$$

→

$$
\begin{array}{r}
1.0\,5 \\
3\,)\overline{3.1\,5} \\
3 \\
\hline
1\,5 \\
1\,5 \\
\hline
0
\end{array}
$$

> 1÷3처럼 수를 하나 내렸음에도 나누어야 할 수가 나누는 수보다 작은 경우에는 몫에 0을 쓰고 수를 하나 더 내려 계산합니다.

예 5.3÷5를 계산하기

방법1 분수의 나눗셈으로 바꾸어 계산하기

> → $5.3 \div 5 = \frac{53 \div 5}{10}$ 로 바꾸면 53÷5가 자연수로 나누어떨어지지 않으므로 $\frac{530 \div 5}{100}$ 로 계산합니다.

$$5.3 \div 5 = \frac{530}{100} \div 5 = \frac{530 \div 5}{100} = \frac{106}{100} = 1.06$$

방법2 자연수의 나눗셈을 이용하여 계산하기

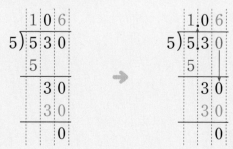

방법3 세로로 계산하기

$$
\begin{array}{r}
1\,0\,6 \\
5\,)\overline{5\,3\,0} \\
5 \\
\hline
3\,0 \\
3\,0 \\
\hline
0
\end{array}
$$

→

$$
\begin{array}{r}
1.0\,6 \\
5\,)\overline{5.3\,0} \\
5 \\
\hline
3\,0 \\
3\,0 \\
\hline
0
\end{array}
$$

> 소수점 아래에서 나누어떨어지지 않는 경우 0을 내려 계산합니다.

개념 확인 문제

5-1 소수의 나눗셈을 분수의 나눗셈으로 바꾸어 계산하려고 합니다. ☐ 안에 알맞은 수를 써넣으세요.

(1) $6.24 \div 6 = \dfrac{\boxed{}}{100} \div 6 = \dfrac{\boxed{} \div 6}{100} = \dfrac{\boxed{}}{100} = \boxed{}$

(2) $9.18 \div 3 = \dfrac{\boxed{}}{100} \div 3 = \dfrac{\boxed{} \div 3}{100} = \dfrac{\boxed{}}{100} = \boxed{}$

5-2 자연수의 나눗셈을 이용하여 ☐ 안에 알맞은 수를 써넣으세요.

(1) $2842 \div 7 = \boxed{}$ ➡ $28.42 \div 7 = \boxed{}$

(2) $2520 \div 5 = \boxed{}$ ➡ $25.2 \div 5 = \boxed{}$

5-3 계산해 보세요.

(1)
$$6 \,)\, \overline{1\,8.5\,4}$$

(2)
$$7 \,)\, \overline{3\,5.6\,3}$$

5-4 나머지가 0이 될 때까지 계산해 보세요.

(1)
$$4 \,)\, \overline{1\,6.2}$$

(2)
$$8 \,)\, \overline{4\,8.4}$$

개념 6 (자연수)÷(자연수)의 몫을 소수로 나타내기

예 5÷4를 계산하기

방법1 분수로 바꾸어 계산하기

$$5 \div 4 = \frac{5}{4} = \frac{5 \times 25}{4 \times 25} = \frac{125}{100} = 1.25$$

방법2 자연수의 나눗셈을 이용하여 계산하기

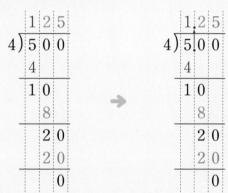

$$500 \div 4 = 125 \quad \Rightarrow \quad 5 \div 4 = 1.25$$

방법3 세로로 계산하기

> 5는 5.00과 같습니다. 몫의 소수점은 자연수 바로 뒤에서 올려서 찍고 더 이상 계산할 수 없을 때까지 내림을 하고, 내릴 수가 없을 경우 0을 내려 계산합니다.

개념 7 몫의 소수점 위치를 확인해 보기

예 어림셈하여 31.8÷4의 몫의 소수점 위치 확인하기

31.8은 소수 첫째 자리에서 반올림하면 32이므로 31.8을 32로 어림하여 계산합니다.

$$31.8 \div 4 \Rightarrow 32 \div 4 \Rightarrow 약 8$$
└→ 소수를 간단한 자연수로 어림하여 계산

따라서 31.8÷4의 몫은 79.5와 7.95 중 7.95입니다.

예 어림셈하여 92.4÷7의 몫의 소수점 위치 확인하기

91÷7은 쉽게 나누어떨어지므로 92.4를 91로 어림하여 계산합니다.

$$92.4 \div 7 \Rightarrow 91 \div 7 = 13$$
└→ 소수를 나누어떨어지는 자연수로 어림하여 계산

나누어지는 수 92.4는 91보다 크므로 92.4÷7의 몫은 13보다 커야 합니다.

따라서 92.4÷7의 몫은 1.32와 13.2 중 13.2입니다.

개념 확인 문제

6-1 자연수의 나눗셈을 분수로 바꾸어 몫을 소수로 나타내려고 합니다. □ 안에 알맞은 수를 써 넣으세요.

(1) $9 \div 5 = \dfrac{\square}{5} = \dfrac{\square}{10} = \boxed{}$

(2) $11 \div 4 = \dfrac{\square}{4} = \dfrac{\square}{100} = \boxed{}$

6-2 계산해 보세요.

(1)

$8 \overline{)12}$

(2)

$25 \overline{)3}$

(3) $13 \div 2$

(4) $6 \div 15$

7-1 보기 와 같이 소수를 반올림하여 일의 자리까지 나타내어 어림한 식으로 표현해 보세요.

보기

$$47.7 \div 6 \Rightarrow 48 \div 6$$

(1) $14.94 \div 3 \Rightarrow ($ $)$

(2) $34.85 \div 5 \Rightarrow ($ $)$

7-2 몫을 어림하여 알맞은 식을 찾아 ○표 하세요.

(1) $17.2 \div 8 = 215$ (   )   (2) $31.4 \div 2 = 157$ (   )

$17.2 \div 8 = 21.5$ (   ) $31.4 \div 2 = 15.7$ (   )

$17.2 \div 8 = 2.15$ (   ) $31.4 \div 2 = 1.57$ (   )

1주
교과서

준비물 ◀ 붙임딱지

나눗셈의 몫이 써 있는 불꽃 붙임딱지를 붙여 향초에 불을 붙여 보세요.

붙임딱지

$54 \div 8$

$42.3 \div 6$

$36.4 \div 4$

$7.8 \div 5$

$32.2 \div 4$

$27 \div 6$

$46.2 \div 15$

$21 \div 4$

$3.24 \div 3$

향초

$3.08 \div 4$

$5.76 \div 9$

$7.8 \div 12$

$4.56 \div 3$

$12.3 \div 6$

$13.6 \div 16$

$17.22 \div 3$

$1.2 \div 5$

$28 \div 8$

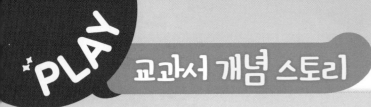
택배를 각 집에 배달하려고 합니다. 나눗셈의 몫이 써 있는 길 붙임딱지를 붙여 끊어진 길을 이어 주세요.

$42.4 \div 8$ $\div 5$

$65.1 \div 5$ $\div 2$

$91.8 \div 3$ $\div 4$

68.67 ÷ 7

÷ 9

25.92 ÷ 9

÷ 3

55.2 ÷ 6

÷ 8

개념 1 각 자리에서 나누어떨어지지 않는 (소수)÷(자연수) 알아보기

01 가장 큰 수를 가장 작은 수로 나눈 몫을 구해 보세요.

| 27.72 | 4 | 5 | 8.65 |

(   )

02 계산 결과를 찾아 선으로 이어 보세요.

$22.44 \div 3$ •

$37.59 \div 7$ •

$17.12 \div 8$ •

•   2.14

•   7.48

•   5.37

03 넓이가 $20.25 \ cm^2$인 정사각형을 9등분 하였습니다. 색칠한 부분의 넓이는 몇 cm^2인지 구해 보세요.

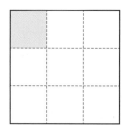

(   )

개념 2 몫이 1보다 작은 소수인 (소수)÷(자연수) 알아보기

04 빈칸에 알맞은 소수를 써넣으세요.

$$\div \longrightarrow$$

5.16	6	
8.55	9	

05 잘못 계산한 부분을 찾아 바르게 계산해 보세요.

```
      5.8
  8)4.6 4
     4 0
     ───
       6 4
       6 4
     ───
         0
```
→

```
  8)4.6 4
```

06 몫이 큰 것부터 차례로 기호를 써 보세요.

㉠ 2.16÷3	㉡ 4.25÷5	㉢ 5.32÷7

(   )

개념3 소수점 아래 0을 내려 계산해야 하는 (소수)÷(자연수) 알아보기

07 자연수의 나눗셈을 이용하여 소수의 나눗셈을 하려고 합니다. ☐ 안에 알맞은 수를 써넣으세요.

(1) $90 \div 2 =$ ☐ ➡ $0.9 \div 2 =$ ☐

(2) $810 \div 6 =$ ☐ ➡ $8.1 \div 6 =$ ☐

08 몫이 다른 나눗셈을 쓴 학생의 이름을 써 보세요.

서희 $14.6 \div 4$ 현서 $22.5 \div 6$ 윤하 $7.5 \div 2$

(   )

09 그림과 같이 넓이가 $37.2 \ \text{cm}^2$인 직사각형의 세로는 몇 cm인지 구해 보세요.

넓이: $37.2 \ \text{cm}^2$

8 cm

(   )

개념 4 몫의 소수 첫째 자리에 0이 있는 (소수)÷(자연수) 알아보기

10 몫의 소수 첫째 자리에 0이 있는 나눗셈을 찾아 ○표 하세요.

$73.5 \div 7$ $5.2 \div 5$

(   )   (   )

11 ☐ 안에 알맞은 소수를 써넣으세요.

(1) ☐ $\times 9 = 18.45$ (2) ☐ $\times 6 = 54.3$

12 끈 6.12 m를 3명이 남김없이 똑같이 나누어 가지려고 합니다. 한 명이 가질 수 있는 끈이 몇 m인지 두 가지 방법으로 구해 보세요.

답_____

답_____

개념 5 (자연수)÷(자연수)의 몫을 소수로 나타내기

13 빈 곳에 알맞은 소수를 써넣으세요.

(1)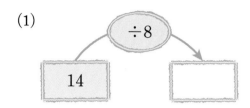

(2)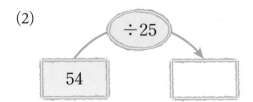

14 계산 결과를 찾아 선으로 이어 보세요.

27÷12   •   •   1.75

20÷16   •   •   1.25

42÷24   •   •   2.25

15 다음과 같이 지름이 9 cm인 큰 원 안에 크기가 같은 작은 원 6개를 그렸습니다. 작은 원의 지름은 몇 cm인지 소수로 나타내어 보세요.

(   )

개념 6 몫의 소수점 위치를 확인해 보기

16 보기 와 같이 소수를 반올림하여 일의 자리까지 나타내어 어림한 식으로 표현하고, 몫을 어림해 보세요.

> 보기
>
> $35.7 \div 6 \rightarrow 36 \div 6 \rightarrow$ 약 6

(1) $17.67 \div 3 \rightarrow ($ $) \rightarrow$ 약 $\boxed{}$

(2) $28.48 \div 4 \rightarrow ($ $) \rightarrow$ 약 $\boxed{}$

17 어림셈하여 몫의 소수점 위치를 찾으려고 합니다. □ 안에 알맞은 수를 써넣고 소수점을 찍어 보세요.

(1) $31.4 \div 5$

어림 $\boxed{} \div \boxed{} \rightarrow$ 약 $\boxed{}$ 몫 $6\square2\square8$

(2) $90.3 \div 7$

어림 $\boxed{} \div \boxed{} \rightarrow$ 약 $\boxed{}$ 몫 $1\square2\square9$

18 몫을 어림하여 몫이 1보다 큰 나눗셈을 모두 찾아 ○표 하세요.

$3.45 \div 3$	$5.22 \div 6$	$2.56 \div 8$
$2.37 \div 3$	$6.18 \div 6$	$8.08 \div 8$
$1.41 \div 3$	$6.54 \div 6$	$9.12 \div 8$

★ 둘레를 이용하여 한 변의 길이 구하기

1 오른쪽 정사각형의 둘레는 30.4 cm입니다. 정사각형의 한 변의 길이는
몇 cm인지 구해 보세요.

답 _____

개념
피드백
① 정사각형은 네 변의 길이가 같습니다.
② (정사각형의 한 변의 길이)=(정사각형의 둘레)÷4

1-1 오른쪽 정팔각형의 둘레는 20.8 cm입니다. 정팔각형의 한 변의 길이는 몇
cm인지 구해 보세요.

( )

1-2 길이가 45 cm인 끈을 겹치지 않게 모두 사용하여 크기가 같은 정삼각형 2개를 만들었습니
다. 정삼각형의 한 변의 길이는 몇 cm인지 구해 보세요.

( )

★ 일정한 빠르기로 갈 수 있는 거리 구하기

2 일정한 빠르기로 15분 동안 20.55 km를 가는 자동차가 있습니다. 이 자동차가 같은 빠르기로 25분 동안 갈 수 있는 거리는 몇 km인지 구해 보세요.

답 _____

개념 피드백
① 1분 동안 갈 수 있는 거리를 구합니다.
② (■분 동안 갈 수 있는 거리)=(1분 동안 갈 수 있는 거리)×■

2-1 일정한 빠르기로 6분 동안 15 km를 가는 오토바이가 있습니다. 이 오토바이가 같은 빠르기로 20분 동안 갈 수 있는 거리는 몇 km인지 구해 보세요.

( )

2-2 일정한 빠르기로 8분 동안 22 km를 가는 자동차가 있습니다. 이 자동차가 같은 빠르기로 한 시간 동안 갈 수 있는 거리는 몇 km인지 구해 보세요.

( )

★ **한 개의 무게 구하기**

3 무게가 같은 배 5개가 담겨 있는 상자의 무게가 7 kg이고, 빈 상자의 무게는 0.3 kg입니다. 배 한 개의 무게는 몇 kg인지 구해 보세요.

답 _____

개념 피드백
① 배 5개의 무게를 구합니다.
② ①에서 구한 무게를 배의 수로 나눈 몫을 구합니다.

3-1 무게가 같은 수박 7통이 담겨 있는 상자의 무게가 43 kg이고, 빈 상자의 무게는 0.65 kg입니다. 수박 한 통의 무게는 몇 kg인지 구해 보세요.

( )

3-2 그림을 보고 한 개의 무게가 더 무거운 것은 빨간색 사과와 초록색 사과 중 어느 것인지 구해 보세요. (단, 빨간색 사과는 빨간색 사과끼리, 초록색 사과는 초록색 사과끼리 각각 무게가 같습니다.)

( )

★ 바르게 계산하기

4 어떤 수를 5로 나누어야 할 것을 잘못하여 5를 곱했더니 13.75가 되었습니다. 바르게 계산한 몫을 구해 보세요.

답 _____

① 어떤 수를 □라 하고 잘못 계산한 식을 세웁니다.
② ①의 식을 이용하여 어떤 수를 구합니다.
③ 바르게 계산한 값을 구합니다.

4-1 어떤 수를 7로 나누어야 할 것을 잘못하여 7을 곱했더니 51.45가 되었습니다. 바르게 계산한 몫을 구해 보세요.

(   )

4-2 어떤 수를 6으로 나누어야 할 것을 잘못하여 9로 나누었더니 몫이 3이 되었습니다. 바르게 계산한 몫을 구해 보세요.

(   )

★ ☐ 안에 들어갈 수 있는 자연수 구하기

5 1부터 9까지의 자연수 중에서 ☐ 안에 들어갈 수 있는 수는 모두 몇 개인지 구해 보세요.

$$21.15 \div 5 > 4.2\boxed{}$$

답 _____

개념 피드백
① 계산할 수 있는 부분을 먼저 계산합니다.
② 소수의 크기를 비교할 때는 자연수 부분부터 차례로 비교합니다.

5-1 ☐ 안에 들어갈 수 있는 자연수 중 가장 큰 수를 구해 보세요.

$$30.18 \div 6 > \boxed{}$$

(   )

5-2 ☐ 안에 들어갈 수 있는 자연수는 모두 몇 개인지 구해 보세요.

$$25 \div 4 < \boxed{} < 78.82 \div 7$$

(   )

★ 수 카드로 나눗셈식 만들어 계산하기

6 수 카드 4장을 한 번씩 모두 사용하여 계산 결과가 가장 큰 (소수 두 자리 수)÷(한 자리 수)를 만들고 계산해 보세요.

답 _____

개념
피드백

① 나누어지는 수에는 가장 큰 소수 두 자리 수를 놓습니다.
② 나누는 수에는 남은 수 카드의 수를 놓습니다.

6-1 수 카드 4장을 한 번씩 모두 사용하여 계산 결과가 가장 작은 (소수 한 자리 수)÷(한 자리 수)를 만들고 계산해 보세요.

(   )

6-2 수 카드 4장을 한 번씩 모두 사용하여 계산 결과가 가장 큰 (두 자리 수)÷(두 자리 수)를 만들고 계산 결과를 소수로 나타내어 보세요.

(   )

1 길이가 84.28 m인 도로의 한쪽에 처음부터 끝까지 같은 간격으로 가로수 15그루를 심으려고 합니다. 가로수 사이의 간격은 몇 m로 해야 하는지 구해 보세요. (단, 가로수의 굵기는 생각하지 않습니다.)

✎ 구하려는 것, 주어진 것에 선을 그어 봅니다.

해결하기 (가로수 사이의 간격의 수)=(가로수의 수)−☐

= ☐ − ☐ = ☐ (군데)

(가로수 사이의 간격)=(도로의 길이)÷(가로수 사이의 간격의 수)

=84.28÷☐ = ☐ (m)

답 구하기 ☐

2 길이가 96.71 m인 도로의 한쪽에 처음부터 끝까지 같은 간격으로 가로등 20개를 설치하려고 합니다. 가로등 사이의 간격은 몇 m로 해야 하는지 구해 보세요. (단, 가로등의 굵기는 생각하지 않습니다.)

✎ 구하려는 것, 주어진 것에 선을 그어 봅니다.

해결하기

답 구하기

3 모든 모서리의 길이가 같은 삼각뿔이 있습니다. 모든 모서리의 길이의 합이 8.34 m일 때, 한 모서리의 길이는 몇 m인지 구해 보세요.

구하려는 것, 주어진 것에 선을 그어 봅니다.

해결하기 (삼각뿔의 모서리의 수)=(밑면의 변의 수)× ☐

= ☐ × ☐ = ☐ (개)

(한 모서리의 길이)=(모든 모서리의 길이의 합)÷(모서리의 수)

=8.34÷ ☐ = ☐ (m)

답 구하기 ☐

4 모든 모서리의 길이가 같은 사각뿔이 있습니다. 모든 모서리의 길이의 합이 17.2 m일 때, 한 모서리의 길이는 몇 m인지 구해 보세요.

구하려는 것, 주어진 것에 선을 그어 봅니다.

해결하기

답 구하기

사고력 개념 스토리　시계 찾기

준비물 붙임딱지

잃어버린 시계를 찾으려고 합니다. 시계 주인의 말을 보고 그 시계의 시각을 나타내는 붙임딱지를 붙여 시계를 찾아 주세요. (단, 지금 정확한 시각은 오전 10시입니다.)

내 시계는 일주일에
12.6분씩 빨라지는 시계예요.
3일 전 오전 10시에
정확한 시각으로 맞추어
놓았어요.

내 시계는 2주일에
18.2분씩 빨라지는 시계예요.
5일 전 오전 10시에
정확한 시각으로 맞추어
놓았어요.

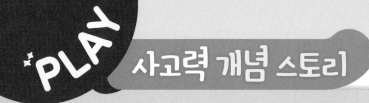

사고력 개념 스토리 도로 완성하기

준비물 붙임딱지

각각의 탈 것이 달린 거리가 써 있는 붙임딱지를 붙여 도로를 완성해 보세요.
(단, 각각의 탈 것의 빠르기는 각각 일정합니다.)

1 지호네 모둠 학생들이 멀리뛰기를 한 결과입니다. 기록이 가장 좋은 학생이 뛴 거리는 두 번째로 좋은 학생이 뛴 거리의 몇 배인지 구해 보세요.

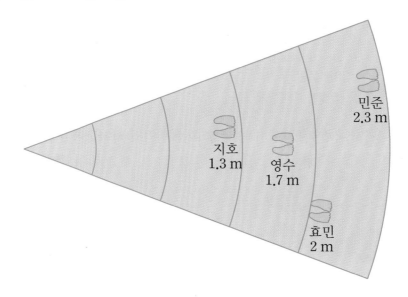

① 설명을 바르게 한 학생을 찾아 이름을 써 보세요.

> 지호: 멀리 뛴 거리가 길수록 기록이 좋은 거야.
> 영수: 멀리 뛴 거리가 짧을수록 기록이 좋은 거야.

(   )

② 기록이 가장 좋은 학생은 누구이고, 몇 m를 뛰었는지 차례로 써 보세요.

(   ), (   )

③ 기록이 두 번째로 좋은 학생은 누구이고, 몇 m를 뛰었는지 차례로 써 보세요.

(   ), (   )

④ 기록이 가장 좋은 학생이 뛴 거리는 두 번째로 좋은 학생이 뛴 거리의 몇 배인지 구해 보세요.

(   )

2 수정이네 가족은 다운로드 속도가 가장 빠른 통신회사를 고르려고 합니다. 다음 중 어느 통신 회사를 골라야 하는지 찾아보세요. (단, 1초에 받는 파일 용량은 각각 일정합니다.)

회사 이름	파일 용량	다운로드 시간
엄청 빨라	40.8 MB	6초
진짜 빨라	25.26 MB	3초
너무 빨라	36.75 MB	5초

① 엄청 빨라 회사를 이용했을 때 1초에 받을 수 있는 파일 용량은 몇 MB인지 구해 보세요.

( )

② 진짜 빨라 회사를 이용했을 때 1초에 받을 수 있는 파일 용량은 몇 MB인지 구해 보세요.

( )

③ 너무 빨라 회사를 이용했을 때 1초에 받을 수 있는 파일 용량은 몇 MB인지 구해 보세요.

( )

④ 수정이네 가족이 골라야 할 회사를 찾아 써 보세요.

( )

2
주

사고력

3 각각 일정한 빠르기로 달리는 자동차와 버스가 같은 곳에서 반대 방향으로 동시에 출발한다면 30분 후에 자동차와 버스 사이의 거리는 몇 km가 되는지 구해 보세요.

9분 동안 19.8 km를 갑니다.

출발

7분 동안 11.9 km를 갑니다.

① 자동차가 1분 동안 가는 거리는 몇 km인지 구해 보세요.

(   )

② 버스가 1분 동안 가는 거리는 몇 km인지 구해 보세요.

(   )

③ 자동차와 버스 사이의 거리는 출발한지 1분 후에 몇 km가 되는지 구해 보세요.

(   )

④ 자동차와 버스 사이의 거리는 출발한지 30분 후에 몇 km가 되는지 구해 보세요.

(   )

4 일주일에 2.45분씩 늦어지는 시계가 있습니다. 영호는 6월 5일 오전 10시에 이 시계를 정확한 시각으로 맞추어 놓았습니다. 6월 9일 오전 10시에 이 시계가 가리키는 시각을 시계에 나타내려고 합니다. 물음에 답하세요.

2 주 사고력

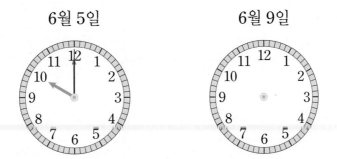

6월 5일   6월 9일

1 이 시계는 하루에 몇 분씩 늦어지는지 구해 보세요.

(   )

2 이 시계는 6월 5일 오전 10시에서 6월 9일 오전 10시까지 몇 분 늦어지는지 구해 보세요.

(   )

3 6월 9일 오전 10시에 이 시계가 가리키는 시각을 구해 보세요.

오전 (   )

4 6월 9일 오전 10시에 이 시계가 가리키는 시각을 시계에 나타내어 보세요.

1 사다리를 타고 내려가서 도착한 곳과 아래 빈 곳에 나눗셈의 몫을 각각 소수로 써 보세요.

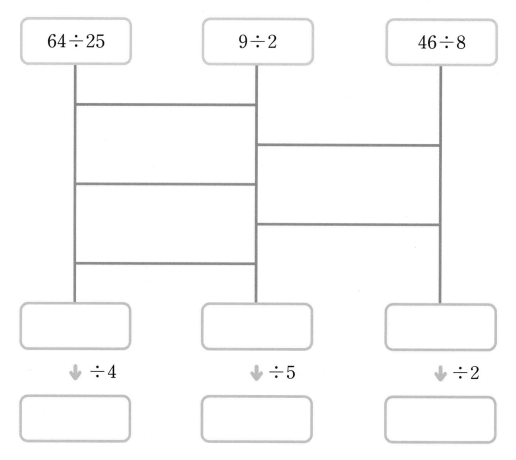

| 64÷25 | 9÷2 | 46÷8 |

↓ ÷4   ↓ ÷5   ↓ ÷2

2 1부터 9까지의 자연수 중 다음 식을 만족하는 ●, ▲, ■, ★을 각각 구해 보세요. (단, 같은 모양은 같은 수를 나타냅니다.)

①
```
        0 .▲
   5) ●.▲
      ● ▲
      ─────
        0
```
● (   )
▲ (   )

②
```
        0 .★
   9) ■.★
      ■ ★
      ─────
        0
```
■ (   )
★ (   )

3 수직선에서 7.7과 50 사이를 6등분 하였습니다. ㉠에 알맞은 수를 구해 보세요.

1 7.7과 50 사이의 크기를 구해 보세요.

(   )

2 눈금 한 칸의 크기를 구해 보세요.

(   )

3 7.7과 ㉠ 사이의 크기를 구해 보세요.

(   )

4 ㉠에 알맞은 수를 구해 보세요.

(   )

4 수직선에서 16.55와 21.5 사이를 5등분 하였습니다. ㉠에 알맞은 수를 구해 보세요.

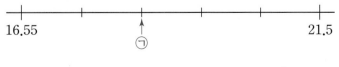

(   )

5 기호 ◉에 대하여 '가◉나＝(가＋나)÷가'라고 약속할 때 다음을 계산해 보세요.

1 　　3◉6.75

(　　　　　　　　)

2 　　16◉30.4

(　　　　　　　　)

6 기호 ◈에 대하여 '가◈나＝(가÷나)＋(나÷가)'라고 약속할 때 다음을 계산해 보세요.

1 　　5◈8

(　　　　　　　　)

2 　　25◈20

(　　　　　　　　)

7 규칙을 찾아 ★에 알맞은 수를 구해 보세요.

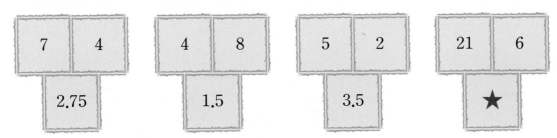

① 규칙을 찾아 써 보세요.

규칙 _____

_____

② ★에 알맞은 수를 구해 보세요.

(   )

8 규칙을 찾아 ♥에 알맞은 수를 구해 보세요.

① 규칙을 찾아 써 보세요.

규칙 _____

_____

② ♥에 알맞은 수를 구해 보세요.

(   )

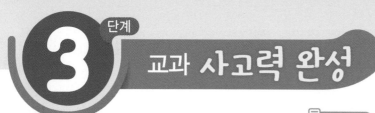

평가 영역 ☐개념 이해력 ☐개념 응용력 ☐창의력 ☑문제 해결력

1 태극기에서 태극 무늬의 지름은 태극기 세로의 반이고 괘의 길이는 태극 무늬 지름의 반입니다. 태극기의 세로가 31 cm일 때 괘의 길이는 몇 cm인지 소수로 나타내어 보세요.

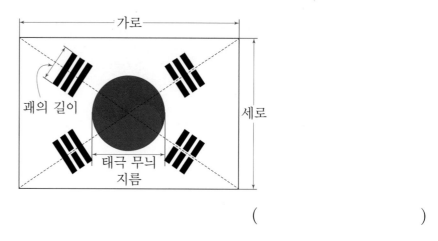

(   )

평가 영역 ☐개념 이해력 ☐개념 응용력 ☑창의력 ☐문제 해결력

2 마주 보는 두 면의 눈의 수의 합이 7인 정육면체 모양의 주사위 4개를 던졌더니 위에 보이는 면이 다음과 같았습니다. 주사위 4개의 밑에 놓인 면의 눈의 수를 한 번씩 모두 사용하여 계산 결과가 가장 큰 (두 자리 수)÷(두 자리 수)를 만들고 계산 결과를 소수로 나타내어 보세요.

평가 영역 ☐개념 이해력 ☐개념 응용력 ☑창의력 ☐문제 해결력

3 지구의 반지름을 1이라고 보았을 때의 태양과 각 행성의 반지름을 나타낸 것입니다. 천왕성의 반지름을 1이라고 본다면 목성의 반지름은 얼마인지 구해 보세요.

행성	반지름	행성	반지름	행성	반지름
태양	109	지구	1	토성	9.4
수성	0.4	화성	0.5	천왕성	4
금성	0.9	목성	11.2	해왕성	3.9

(   )

평가 영역 ☐개념 이해력 ☐개념 응용력 ☐창의력 ☑문제 해결력

4 다음 조건 을 만족하는 수 중 가장 작은 수를 구해 보세요.

┌─ 조건 ─
• 나는 40보다 큰 소수 두 자리 수입니다.
• 나를 11로 나누었을 때의 몫은 소수 두 자리 수입니다.

(   )

1 소수의 나눗셈을 분수의 나눗셈으로 바꾸어 계산하려고 합니다. ☐ 안에 알맞은 수를 써넣으세요.

(1) $5.36 \div 4 = \dfrac{\boxed{}}{100} \div 4 = \dfrac{\boxed{} \div 4}{100} = \dfrac{\boxed{}}{100} = \boxed{}$

(2) $8.16 \div 2 = \dfrac{\boxed{}}{100} \div 2 = \dfrac{\boxed{} \div 2}{100} = \dfrac{\boxed{}}{100} = \boxed{}$

2 계산 결과를 찾아 선으로 이어 보세요.

$46 \div 8$ •

$90 \div 24$ •

• 3.75

• 4.75

• 5.75

3 잘못 계산한 부분을 찾아 바르게 계산해 보세요.

```
        2. 6
   12) 2 4. 7 2
       2 4
      ─────
         7 2
         7 2
      ─────
          0
```

→

```
   12) 2 4. 7 2
```

4 몫을 어림하여 알맞은 식을 찾아 ○표 하세요.

(1) $21.36 \div 4 = 534$ (　　　　)　　(2) $97.8 \div 3 = 326$ (　　　　)

$21.36 \div 4 = 53.4$ (　　　　)　　$97.8 \div 3 = 32.6$ (　　　　)

$21.36 \div 4 = 5.34$ (　　　　)　　$97.8 \div 3 = 3.26$ (　　　　)

$21.36 \div 4 = 0.534$ (　　　)　　$97.8 \div 3 = 0.326$ (　　　)

2 주 평가

5 어림셈하여 몫의 소수점 위치를 찾으려고 합니다. □ 안에 알맞은 수를 써넣고 소수점을 찍어 보세요.

(1) $17.2 \div 8$

어림 □ ÷ □ ➡ 약 □　　몫 2□1□5

(2) $81.6 \div 6$

어림 □ ÷ □ ➡ 약 □　　몫 1□3□6

6 계산 결과를 비교하여 ○ 안에 >, =, <를 알맞게 써넣으세요.

(1) $50.4 \div 7$ ◯ $42.3 \div 6$　　(2) $9.2 \div 8$ ◯ $7.8 \div 4$

7 가장 큰 수를 가장 작은 수로 나눈 몫을 구해 보세요.

| 9 | 24.5 | 8 | 32.4 |

(   )

8 오른쪽 정삼각형의 둘레는 24.48 cm입니다. 정삼각형의 한 변의 길이는 몇 cm인지 구해 보세요.

(   )

9 ☐ 안에 알맞은 수를 써넣으세요.

$$\boxed{} \times 15 = 52.2$$

10 ☐ 안에 들어갈 수 있는 자연수 중 가장 큰 수를 구해 보세요.

$$74.7 \div 9 > \boxed{}$$

(   )

2
주

평가

11 5000원으로 리본을 36.4 m 살 수 있습니다. 1000원으로 리본을 몇 m 살 수 있는지 구해 보세요.

(   )

12 높이가 12 cm이고 넓이가 219.6 cm²인 평행사변형의 밑변의 길이는 몇 cm인지 구해 보세요.

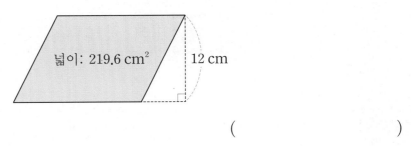

넓이: 219.6 cm²   12 cm

(   )

13 가로가 14.4 m인 텃밭에 토마토 모종 16개를 같은 간격으로 그림과 같이 심으려고 합니다. 모종 사이의 간격은 몇 m로 해야 하는지 구해 보세요. (단, 모종의 굵기는 생각하지 않습니다.)

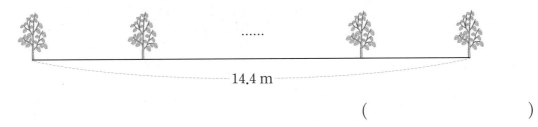

······

14.4 m

(   )

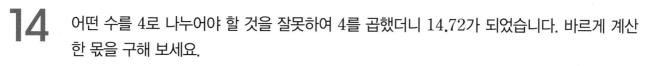

14 어떤 수를 4로 나누어야 할 것을 잘못하여 4를 곱했더니 14.72가 되었습니다. 바르게 계산한 몫을 구해 보세요.

(   )

15 수 카드 4장을 한 번씩 모두 사용하여 계산 결과가 가장 큰 (소수 한 자리 수)÷(한 자리 수)를 만들고 계산해 보세요.

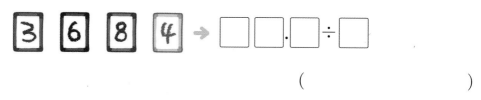

(   )

16 윗변과 아랫변의 길이가 각각 10.6 cm, 13.4 cm이고 넓이가 86.4 cm²인 사다리꼴의 높이는 몇 cm인지 구해 보세요.

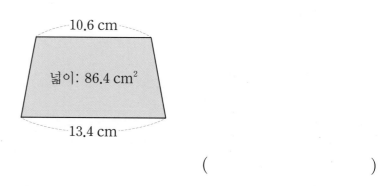

10.6 cm

넓이: 86.4 cm²

13.4 cm

(   )

1 진주네 가게에서 포도 주스는 병 5개에, 딸기 주스는 병 6개에, 오렌지 주스는 병 4개에 남김없이 똑같이 나누어 담아서 팔고 있습니다. 나누어 담는 병의 모양과 크기가 같다면 가, 나, 다 중 어느 병에 주스가 가장 많은지 구해 보세요.

포도 주스

딸기 주스

오렌지 주스

2
주
평가

(   )

2 다음과 같이 가로가 7.9 m인 벽에 한 변의 길이가 1.2 m인 정사각형 모양의 창문을 같은 간격으로 4개 만들려고 합니다. 창문과 창문 사이의 간격을 몇 m로 해야 하는지 구해 보세요.

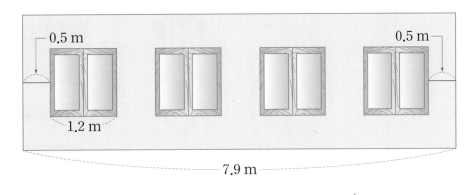

(   )

4 비와 비율

단원과 관련된
비 이야기를
살펴보아요.

비가 사용되는 경우

두 양의 크기를 뺄셈 또는 나눗셈으로 비교해 봄으로써 두 양의 관계를 이해하고 이를 통해 기호(:)를 사용하여 비로 나타낼 수 있습니다. 실생활에서 비가 사용되는 경우를 알아볼까요?

⭐ 스포츠 경기의 득점 결과

2018년 자카르타-팔렘방에서 제18회 아시안게임이 열렸습니다. 다음은 대한민국 남자 축구 대표팀의 경기 결과를 나타낸 표입니다.

경기	날짜	결과		
조별 리그 1차전	2018년 8월 15일	대한민국	6−0	바레인
조별 리그 2차전	2018년 8월 17일	대한민국	1−2	말레이시아
조별 리그 3차전	2018년 8월 20일	대한민국	1−0	키르기스스탄
16강전	2018년 8월 23일	대한민국	2−0	이란
8강전	2018년 8월 27일	대한민국	4−3	우즈베키스탄
4강전	2018년 8월 29일	대한민국	3−1	베트남
결승전	2018년 9월 1일	대한민국	2−1	일본

▲ 출처 KFA(대한축구협회)

대한민국 남자 축구 대표팀은 총 7번 경기를 하여 그중 1번을 졌지만 나머지 경기들을 모두 이기고 우승을 차지하였습니다.

✰ 비

비는 기호 :을 사용하여 나타냅니다.

두 수 2와 1을 비교할 때 2 : 1이라 쓰고 2 대 1이라고 읽습니다.

2 : 1은 "2와 1의 비", "2의 1에 대한 비", "1에 대한 2의 비"라고도 읽습니다.

기호 :의 오른쪽에 있는 수가 기준이에요.

💡 2018년 제18회 자카르타-팔렘방 아시안게임 남자 축구 4강전의 결과를 대한민국과 베트남에서 각각 방송한 TV 화면입니다. 물음에 답하세요.

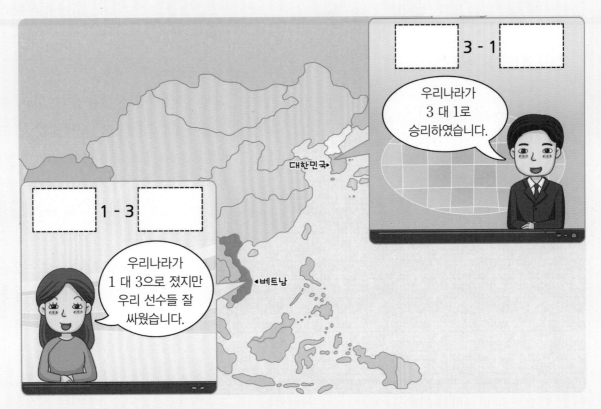

❶ 두 나라의 TV 화면에서 빈 곳에 알맞은 국기 붙임딱지를 붙여 보세요.

❷ 비에 맞게 알맞은 수나 말에 ○표 하세요.

> 3 : 1은 기준이 (3 , 1)이지만, 1 : 3은 기준이 (1 , 3)이므로
> 3 : 1과 1 : 3은 (같습니다 , 다릅니다).

💡 2018년 제18회 자카르타-팔렘방 아시안게임 대한민국 남자 축구 각 경기에서 진 나라가 얻은 점수에 대한 이긴 나라가 얻은 점수의 비를 구해 보세요.

(이긴 나라가 얻은 점수) : (진 나라가 얻은 점수)

❶ 조별 리그 1차전 ➡ ☐ : ☐

❷ 조별 리그 2차전 ➡ ☐ : ☐

❸ 8강전 ➡ ☐ : ☐

❹ 결승전 ➡ ☐ : ☐

개념 1 두 수를 비교하기

• 두 양의 크기 비교하기

└참외 6개   └귤 2개

① 뺄셈으로 비교

(참외 수)−(귤 수)=6−2=4

➡ ┌ 참외는 귤보다 4개 더 많습니다.
　 └ 귤은 참외보다 4개 더 적습니다.

② 나눗셈으로 비교

(참외 수)÷(귤 수)=6÷2=3

➡ 참외 수는 귤 수의 3배입니다.

(귤 수)÷(참외 수)=2÷6

$$=\frac{2}{6}=\frac{1}{3}$$

➡ 귤 수는 참외 수의 $\frac{1}{3}$배입니다.

• 변하는 두 양의 관계 알아보기

학생들에게 사탕 6개와 쿠키 2개씩 주려고 합니다.

학생 수(명)	1	2	3	……
사탕 수(개)	6	12	18	……
쿠키 수(개)	2	4	6	……

① 뺄셈으로 비교

1명: (사탕 수)−(쿠키 수)=6−2=4

2명: (사탕 수)−(쿠키 수)=12−4=8

3명: (사탕 수)−(쿠키 수)=18−6=12

➡ 학생 수에 따라 사탕은 쿠키보다
　4개, 8개, 12개…… 더 많습니다.

② 나눗셈으로 비교

1명: (사탕 수)÷(쿠키 수)=6÷2=3

2명: (사탕 수)÷(쿠키 수)=12÷4=3

3명: (사탕 수)÷(쿠키 수)=18÷6=3

➡ 사탕 수는 항상 쿠키 수의 3배입니다.

> 뺄셈으로 비교하는 경우 두 수의 관계가 변하지만 나눗셈으로 비교하는 경우 두 수의 관계는 변하지 않습니다.

개념 2 비를 알아보기

• 비: 두 수를 나눗셈으로 비교하기 위해 기호 :을 사용하여 나타낸 것

• 두 수 4와 3을 비교

쓰기 4 : 3

읽기
┌ 4 대 3
├ 4와 3의 비
├ 4의 3에 대한 비
└ 3에 대한 4의 비

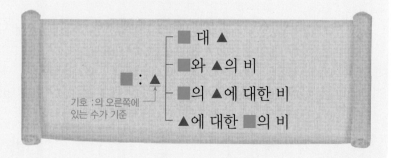

■ 대 ▲
■와 ▲의 비
■의 ▲에 대한 비
▲에 대한 ■의 비

■ : ▲

기호 :의 오른쪽에 있는 수가 기준

개념 확인 문제

1 파란 구슬 수와 빨간 구슬 수를 뺄셈과 나눗셈으로 비교하려고 합니다. □ 안에 알맞은 수를 써넣으세요.

(1) 빨간 구슬은 파란 구슬보다 □개 더 많습니다.

(2) 빨간 구슬 수는 파란 구슬 수의 □배입니다.

2-1 비를 보고 □ 안에 알맞은 수를 써넣으세요.

(1) ┌─────────┐
    │ 5 : 9 │
    └─────────┘

□ 대 □

□와 □의 비

□의 □에 대한 비

□에 대한 □의 비

(2) ┌─────────┐
    │ 7 : 6 │
    └─────────┘

□ 대 □

□과 □의 비

□의 □에 대한 비

□에 대한 □의 비

2-2 전체에 대한 색칠한 부분의 비를 써 보세요.

(1)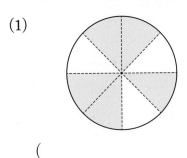

( )

(2)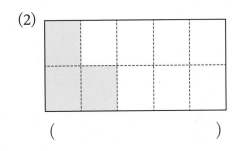

( )

개념 3 비율을 알아보기

- 기준량, 비교하는 양

$$1 : 5$$

기준량 ➡ 기호 : 의 오른쪽에 있는 5
비교하는 양 ➡ 기호 : 의 왼쪽에 있는 1

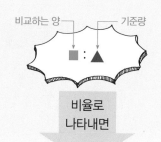

- 비율: 기준량에 대한 비교하는 양의 크기

$$(비율) = (비교하는 양) \div (기준량) = \frac{(비교하는 양)}{(기준량)}$$

비율로
나타내면

예	비	비교하는 양	기준량	비율
	$3 : 10$	3	10	$\frac{3}{10}$ 또는 0.3

개념 4 비율이 사용되는 경우를 알아보기

▼ 출처 ⓒPixMarket, shutterstock

걸린 시간에 대한 간 거리의 비율

➡ $(비율) = \frac{(간\ 거리)}{(걸린\ 시간)}$

넓이에 대한 인구의 비율

➡ $(비율) = \frac{(인구)}{(넓이)}$

흰색 물감 양에 대한 검은색 물감 양의 비율

➡ $(비율) = \frac{(검은색\ 물감\ 양)}{(흰색\ 물감\ 양)}$

야구 선수의 타율

➡ $(타율) = \frac{(안타\ 수)}{(전체\ 타수)}$

지도의 축척

➡ $(축척) = \frac{(지도에서의\ 거리)}{(실제\ 거리)}$

소금물의 진하기

➡ $(진하기) = \frac{(소금\ 양)}{(소금물\ 양)}$

비교하는 양을 분자로!

A에 대한 B의 비 ➡ B : A ➡ $(비율) = \frac{B}{A}$

기준량을 분모로!

3 비를 보고 ☐ 안에 알맞은 수를 써넣으세요.

$$2 : 5 \rightarrow \begin{array}{l} \text{비교하는 양: } \boxed{} \\ \text{기준량: } \boxed{} \end{array} \rightarrow (비율) = \frac{\boxed{}}{\boxed{}} = \frac{\boxed{}}{10} = \boxed{} \;\text{← 소수}$$

4-1 어느 지역의 인구와 넓이를 조사한 표입니다. 이 지역의 넓이에 대한 인구의 비율을 구하려고 합니다. ☐ 안에 알맞은 수를 써넣으세요.

인구(명)	넓이(km²)
32000	80

$$\rightarrow \frac{(인구)}{(넓이)} = \frac{\boxed{}}{\boxed{}} = \boxed{}$$

4-2 걸린 시간에 대한 간 거리의 비율을 구해 보세요.

150 km를 가는 데 2시간이 걸렸네.

(   )

4-3 어떤 야구 선수가 20타수를 기록하는 동안 안타를 6번 쳤습니다. 전체 타수에 대한 안타 수의 비율을 구해 보세요.

(   )

개념 **5** 백분율을 알아보기

• 백분율: 기준량을 100으로 할 때의 비율

➡ 기호 **%**를 사용하여 나타냅니다.

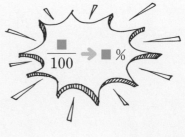

예 비율 $\dfrac{73}{100}$ ┌ 쓰기 73 %

└ 읽기 73 퍼센트

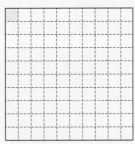

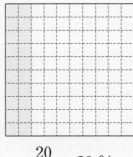

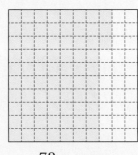

색칠한 칸수 → $\dfrac{1}{100} = 1\,\%$
전체 칸수 →

$\dfrac{20}{100} = 20\,\%$

$\dfrac{73}{100} = 73\,\%$

개념 **6** 비율을 백분율로 나타내기

방법1 기준량이 100인 비율로 고친 후 백분율로 나타내기

• 분수를 백분율로 나타내기

$$\dfrac{1}{4} \quad \Rightarrow \quad \dfrac{1}{4} = \dfrac{1 \times 25}{4 \times 25} = \dfrac{25}{100} \quad \Rightarrow \quad 25\,\%$$

• 소수를 백분율로 나타내기

$$0.7 \quad \Rightarrow \quad 0.7 = \dfrac{7}{10} = \dfrac{7 \times 10}{10 \times 10} = \dfrac{70}{100} \quad \Rightarrow \quad 70\,\%$$

방법2 비율에 100을 곱한 후 나온 값에 % 붙이기

• 분수를 백분율로 나타내기

$$\dfrac{1}{4} \quad \Rightarrow \quad \dfrac{1}{4} \times 100 = 25\,(\%)$$

(백분율)
=(비율)×100

• 소수를 백분율로 나타내기

$$0.7 \quad \Rightarrow \quad 0.7 \times 100 = 70\,(\%)$$

주의 백분율로 잘못 나타낸 경우

$0.7 = \cancel{\dfrac{7}{10}} \Rightarrow \cancel{7\,\%}$ ⟨기준량이 100이 아니므로 잘못됨.⟩

$0.7 = \dfrac{70}{100} \Rightarrow \cancel{70}$ ⟨기호 %를 붙이지 않아서 잘못됨.⟩

개념 확인 문제

5 그림을 보고 전체에 대한 색칠한 부분의 비율을 백분율로 나타내어 보세요.

(1)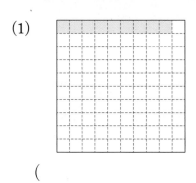

(   )

(2)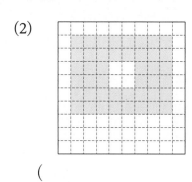

(   )

6-1 비율을 백분율로 2가지 방법으로 나타내려고 합니다. ☐ 안에 알맞은 수를 써넣으세요.

(1) $\dfrac{3}{25}$

방법1 $\dfrac{3}{25} = \dfrac{3 \times \boxed{}}{25 \times \boxed{}} = \dfrac{\boxed{}}{100}$ ➔ $\boxed{}$ %

방법2 $\dfrac{3}{25} \times \boxed{} = \boxed{}$ (%)

(2) 0.6

방법1 $0.6 = \dfrac{\boxed{}}{10} = \dfrac{\boxed{} \times 10}{10 \times 10} = \dfrac{\boxed{}}{\boxed{}}$ ➔ $\boxed{}$ %

방법2 $0.6 \times \boxed{} = \boxed{}$ (%)

6-2 관계있는 것끼리 선으로 이어 보세요.

0.4	•		•	50 %
$\dfrac{1}{2}$	•		•	75 %
$\dfrac{3}{4}$	•		•	40 %

개념 **7** 백분율이 사용되는 경우를 알아보기

• 할인율: 원래 가격에 대한 할인 금액의 비율

품목	원래 가격(원)	할인된 판매 가격(원)
공책	2000	1500

공책의 할인율 구하기

(할인 금액)
=(원래 가격)−(할인된 판매 가격)
=2000−1500
=500(원)

$(할인율) = \dfrac{(할인\ 금액)}{(원래\ 가격)} \times 100$

$= \dfrac{500}{2000} \times 100$

$= 25\ (\%)$

⭐ 할인 금액과 할인된 판매 금액을 헷갈려서 틀리는 경우가 많으므로 주의합니다.

참고 원짜리를 할인하여 원에 판매하는 경우 할인율은?

• 득표율: 전체 투표수에 대한 해당 후보의 득표수의 비율

전체 투표수는 30+18+2 =50(표)입니다.

후보	현서	효영	무효표
득표수(표)	30	18	2

→ $(현서의\ 득표율) = \dfrac{(현서의\ 득표수)}{(전체\ 투표수)} \times 100 = \dfrac{30}{50} \times 100 = 60\ (\%)$

$(효영이의\ 득표율) = \dfrac{(효영이의\ 득표수)}{(전체\ 투표수)} \times 100 = \dfrac{18}{50} \times 100 = 36\ (\%)$

$(무효표의\ 비율) = \dfrac{(무효표\ 수)}{(전체\ 투표수)} \times 100 = \dfrac{2}{50} \times 100 = 4\ (\%)$

• 소금물의 진하기: 소금물 양에 대한 소금 양의 비율

소금 60 g을 녹여 소금물 300 g을 만들었습니다. 소금물의 진하기는 몇 % 일까요?

→ $(소금물의\ 진하기) = \dfrac{(소금\ 양)}{(소금물\ 양)} \times 100 = \dfrac{60}{300} \times 100 = 20\ (\%)$

개념 확인 문제

7-1 표의 빈칸에 알맞은 수를 써넣고 모자와 가방의 할인율은 각각 몇 %인지 구해 보세요.

품목	원래 가격(원)	할인된 판매 가격(원)	할인 금액(원)
모자	3000	2700	
가방	40000	32000	

모자 (   )

가방 (   )

7-2 전교 학생 회장 선거 투표 결과입니다. 나 후보의 득표율은 몇 %인지 구하려고 합니다. ☐ 안에 알맞은 수를 써넣으세요.

후보	가	나	무효표
득표수(표)	120	165	15

(전체 투표수) = 120 + ☐ + ☐ = ☐ (표)

➡ (나 후보의 득표율) = $\dfrac{\boxed{}}{\boxed{}}$ × 100 = ☐ (%)

7-3 다음과 같이 소금물을 만들었습니다. 어느 컵에 들어 있는 소금물이 더 진한지 기호를 써 보세요.

소금 30 g을 녹여 소금물 150 g을 만든 컵   가   나   소금 50 g을 녹여 소금물 200 g을 만든 컵

(   )

손님이 주문한 비에 맞는 비율이 적힌 붕어빵 붙임딱지를 붙여 보세요.

준비물 붙임딱지

7과 8의 비

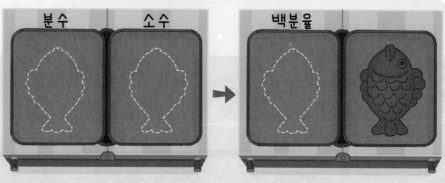

분수   소수   백분율

17의 50에 대한 비

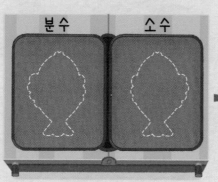

분수   소수

백분율

20에 대한 13의 비

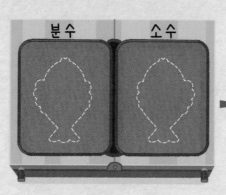

분수   소수

백분율

17과 25의 비

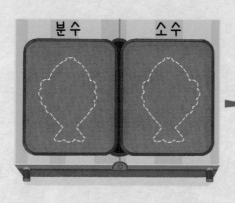

분수   소수

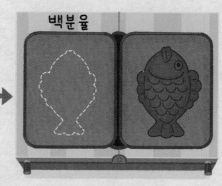

백분율

준비물 ◀ 붙임딱지

짬짜면 그릇에 백분율이 적혀 있습니다.
백분율과 크기가 같은 비율이 적힌 짜장면과 짬뽕 붙임딱지를 붙여
짬짜면 그릇을 채워 보세요.

도움말
[백분율을 비율로 바꾸는 방법]
■ % ➡ $\frac{■}{100}$

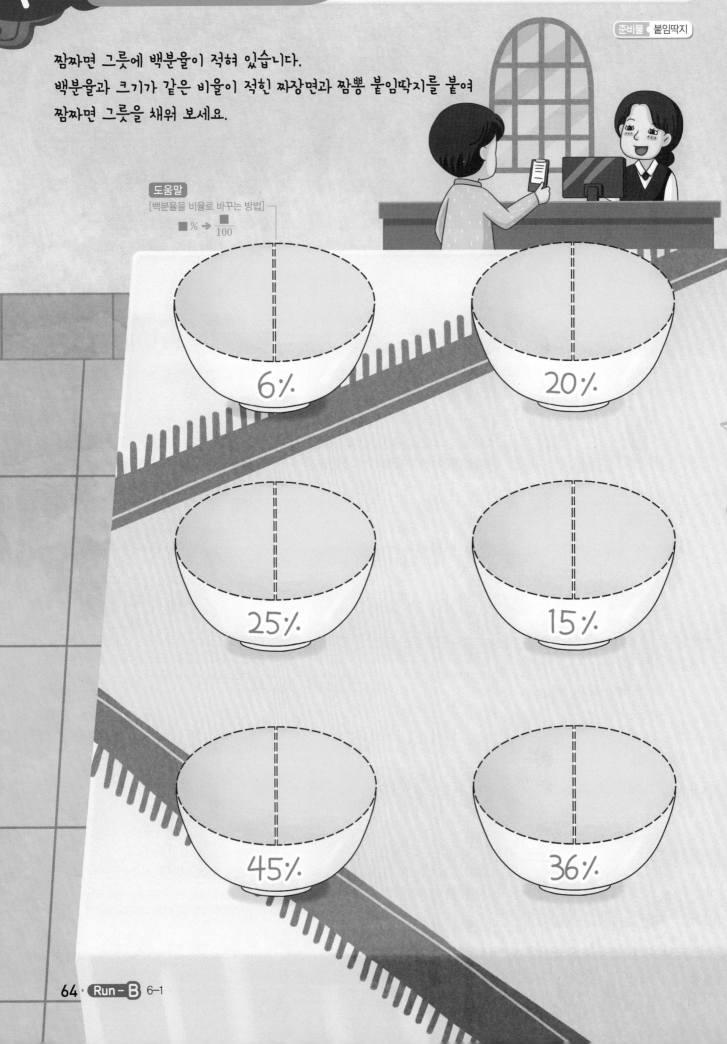

개념 1 두 수를 비교하기

01 올해 정우는 12살이고 동생은 6살입니다. 정우의 나이와 동생의 나이를 비교하려고 합니다.
□ 안에 알맞은 수를 써넣으세요.

뺄셈으로 비교	정우는 동생보다 □ − □ = □ (살) 더 많습니다.
나눗셈으로 비교	정우의 나이는 동생의 나이의 □ ÷ □ = □ (배)입니다.

02 감귤주스 잔 수와 키위주스 잔 수를 비교하려고 합니다. □ 안에 알맞은 수를 써넣으세요.

감귤주스

키위주스

(1) 감귤주스는 키위주스보다 □ 잔 더 많습니다.

(2) 감귤주스 잔 수는 키위주스 잔 수의 □ 배입니다.

03 한 모둠에 색종이를 한 묶음씩 나누어 주었습니다. 한 모둠이 4명씩이고 색종이 한 묶음은
12장입니다. 모둠 수에 따른 모둠원 수와 색종이 수를 구해 표를 완성하고 맞으면 ○표, 틀
리면 ×표 하세요.

모둠 수	1	2	3	4	5
모둠원 수(명)	4	8	12	16	
색종이 수(장)	12	24	36		

(1) 색종이 수는 항상 모둠원 수보다 8만큼 더 큽니다. ⸺⸺⸺⸺⸺ ( )

(2) 색종이 수는 항상 모둠원 수의 3배입니다. ⸺⸺⸺⸺⸺⸺⸺ ( )

개념2 비를 알아보기

04 그림을 보고 알맞은 비를 써 보세요.

(1) 수박 수에 대한 멜론 수의 비 ➡ (   )

(2) 멜론 수의 수박 수에 대한 비 ➡ (   )

3
주

교과서

05 ☐ 안에 알맞은 수를 써넣으세요.

(1) 7 대 8 ➡ ☐ : ☐

(2) 11에 대한 8의 비 ➡ ☐ : ☐

(3) 4의 5에 대한 비 ➡ ☐ : ☐

(4) 6과 7의 비 ➡ ☐ : ☐

06 텔레비전을 보고 ☐ 안에 알맞은 수를 써넣으세요.

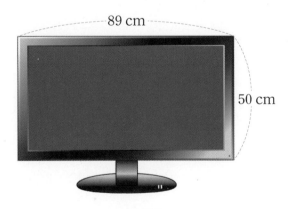

89 cm

50 cm

(1) 가로에 대한 세로의 비 ➡ ☐ : ☐

(2) 세로에 대한 가로의 비 ➡ ☐ : ☐

개념3 비율을 알아보기

07 비교하는 양과 기준량을 찾아 쓰고 비율을 구해 보세요.

비	비교하는 양	기준량	비율	
			분수	소수
9 : 5				
11 : 20				

08 평행사변형의 밑변의 길이에 대한 높이의 비율을 분수와 소수로 각각 나타내어 보세요.

7 cm

25 cm

분수 (   )

소수 (   )

09 관계있는 것끼리 선으로 이어 보세요.

6과 15의 비 •

8에 대한 12의 비 •

3의 10에 대한 비 •

• $\dfrac{2}{5}$

• 0.3

• 1.5

개념 4 넓이에 대한 인구의 비율

10 예지네 마을의 넓이에 대한 인구의 비율을 구하려고 합니다. 물음에 답하세요.

우리 마을의 넓이는 5km²이고 인구는 8000명이에요.

예지

(1) 기준량과 비교하는 양을 각각 찾아 써 보세요.

   기준량 (   ), 비교하는 양 (   )

(2) 예지네 마을의 넓이에 대한 인구의 비율을 구해 보세요.

(   )

넓이에 대한 인구의 비율이 클수록 인구가 더 밀집한 곳입니다.

11 대한민국과 베트남의 인구와 넓이를 조사하여 나타낸 표입니다. 두 나라 중 인구가 더 밀집한 곳을 알아보려고 합니다. 물음에 답하세요.

나라	대한민국	베트남
인구(명)	5170만	9669만
넓이(km²)	10만	33만

(1) 두 나라의 넓이에 대한 인구의 비율을 각각 구해 보세요.

대한민국 (   )

베트남 (   )

(2) 두 나라 중 인구가 더 밀집한 곳은 어디일까요?

(   )

개념 5 백분율을 알아보기

12 그림을 보고 전체에 대한 색칠한 부분의 비율을 백분율로 나타내어 보세요.

(1)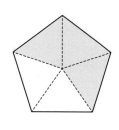

(   )

(2)

(   )

13 빈칸에 알맞은 수를 써넣으세요.

분수	소수	백분율(%)
$\frac{1}{4}$		
	0.28	
$\frac{7}{20}$		

14 비를 백분율로 나타내어 보세요.

(1) $6 : 25$

(   )

(2) 21과 50의 비

(   )

개념 6 비율의 크기 비교하기

15 두 비율의 크기를 비교하여 ○ 안에 >, =, <를 알맞게 써넣으세요.

(1) 0.25 ◯ 20 %

(2) 30 % ◯ $\dfrac{8}{25}$

16 비율이 다른 하나를 찾아 기호를 써 보세요.

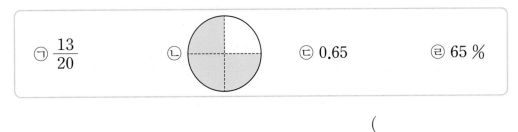

㉠ $\dfrac{13}{20}$ ㉡   ㉢ 0.65   ㉣ 65 %

(   )

17 비율이 가장 큰 비를 말한 사람의 이름을 써 보세요.

강호 — 3 대 5

서희 — 2에 대한 1의 비

민기 — 4의 10에 대한 비

(   )

★ 지도에서 비율 구하기

1 다음 지도에서 A부터 B까지 실제 거리는 600 m입니다. A부터 B까지 실제 거리에 대한 지도에서 거리의 비율을 분수로 나타내어 보세요.

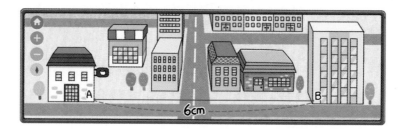

6cm

답 _____

개념 피드백 ① 1 m＝100 cm를 이용하여 실제 거리의 단위를 지도에서 거리와 같은 cm 단위로 바꿉니다.

② 실제 거리에 대한 지도에서 거리의 비율 ➡ $\dfrac{(지도에서\ 거리)}{(실제\ 거리)}$

1-1 진영이는 학교 숙제로 마을 지도를 그렸습니다. 진영이네 집에서부터 학교까지 실제 거리는 200 m인데 지도에서는 4 cm로 그렸습니다. 진영이네 집에서부터 학교까지 실제 거리에 대한 지도에서 거리의 비율을 분수로 나타내어 보세요.

(   )

1-2 축척은 실제 거리에 대한 지도에서 거리의 비율입니다. 지도에서 거리가 2 cm일 때 실제 거리가 6 km인 지도가 있습니다. 이 지도의 축척을 기약분수로 나타내어 보세요.

(   )

⭐ 도형에서 비율 구하기

2 다음 직사각형의 넓이는 $60\ cm^2$입니다. 이 직사각형의 가로에 대한 세로의 비율을 분수로 나타내어 보세요.

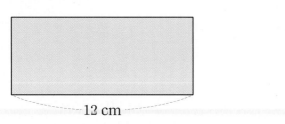

12 cm

답 _____

개념
피드백

① (직사각형의 넓이) = (가로) × (세로)

② 가로에 대한 세로의 비율 ➡ $\dfrac{(세로)}{(가로)}$

2-1 다음 평행사변형의 넓이는 $200\ cm^2$입니다. 이 평행사변형의 밑변의 길이에 대한 높이의 비율을 소수로 나타내어 보세요.

10 cm

(   )

2-2 다음 삼각형의 넓이는 $40\ cm^2$입니다. 이 삼각형의 밑변의 길이에 대한 높이의 비율을 기약분수로 나타내어 보세요.

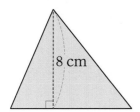

8 cm

(   )

⭐ **넓이에 대한 인구의 비율 구하기**

3 다음은 두 마을의 인구와 넓이를 조사하여 나타낸 표입니다. 두 마을의 넓이에 대한 인구의 비율을 각각 자연수로 구하고 두 마을 중 인구가 더 밀집한 곳을 써 보세요.

마을	가 마을	나 마을
인구(명)	8000	9000
넓이(km^2)	5	6

가 마을 (   )

나 마을 (   )

인구가 더 밀집한 곳 (   )

개념 피드백
① 넓이에 대한 인구의 비율 ➡ $\dfrac{(인구)}{(넓이)}$

② 넓이에 대한 인구의 비율이 클수록 인구가 더 밀집한 곳입니다.

3-1 서울과 강원도의 인구와 넓이를 조사하여 나타낸 표입니다. 두 지역의 넓이에 대한 인구의 비율을 각각 구하고 두 지역 중 인구가 더 밀집한 곳을 써 보세요. (단, 비율은 반올림하여 자연수로 나타냅니다.)

지역	서울	강원도
인구(명)	9857000	1550000
넓이(km^2)	605	16875

(출처: 지방 자치 단체 행정 구역 및 인구 현황, 행정 안전부, 2017.)

서울 (   )

강원도 (   )

인구가 더 밀집한 곳 (   )

★ 할인율 구하기

4 어느 가게에서 50000원에 판매하던 신발을 할인하여 35000원에 판매하고 있습니다. 이 신발의 할인율은 몇 %인지 구해 보세요.

답 _____

3
주
교과서

개념 피드백
① (할인 금액)＝(원래 가격)－(할인된 판매 가격)

② $(할인율)=\dfrac{(할인\ 금액)}{(원래\ 가격)}\times100$

4-1 어느 과일 가게에서 판매하는 과일의 가격을 나타낸 표입니다. 포도와 복숭아의 할인율은 각각 몇 %인지 구하고, 어느 과일의 할인율이 더 높은지 구해 보세요.

과일	포도	복숭아
원래 가격(원)	1000	800
할인된 판매 가격(원)	750	680

포도 (   )

복숭아 (   )

할인율이 더 높은 과일 (   )

4-2 어느 채소 가게에서 어제와 오늘 호박의 가격을 나타낸 표입니다. 오늘은 어제보다 호박 한 개의 가격이 몇 % 낮아졌는지 구해 보세요.

어제	오늘
호박 3개 3600원	호박 3개 2700원

(   )

★ 소금의 양 구하기

5 그림과 같이 소금을 녹여 만든 소금물 500 g에서 소금물 양에 대한 소금 양의 비율은 10 %입니다. 이 소금물에 들어 있는 소금은 몇 g인지 구해 보세요.

답 _____

개념 피드백 소금물 양에 대한 소금 양의 비율을 백분율로 나타내면 $\dfrac{(소금\ 양)}{(소금물\ 양)} \times 100$입니다.

5-1 소금물 양에 대한 소금 양의 비율이 4 %인 소금물 300 g이 있습니다. 이 소금물에 들어 있는 소금은 몇 g인지 구해 보세요.

(   )

5-2 소금물 양에 대한 소금 양의 비율이 5 %인 소금물을 만들려고 합니다. 소금을 25 g 넣었다면 물은 몇 g 넣어야 하는지 구해 보세요.

(1) 소금물은 몇 g일까요?

(   )

(2) 넣어야 하는 물은 몇 g일까요?

(   )

★ 비율과 비교하는 양으로 기준량 구하기

6 서점에서 오른쪽과 같이 할인하는 책을 샀더니 원래 가격에서 3000원 할인해 주었습니다. 이 책의 원래 가격은 얼마인지 구해 보세요.

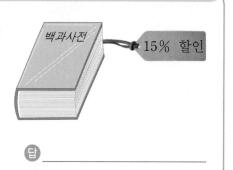

15 % 할인

답 _____

개념 피드백

① (비율) = $\dfrac{(비교하는 양)}{(기준량)}$ ➡ (기준량) × (비율) = (비교하는 양), (기준량) = (비교하는 양) ÷ (비율)

② 기준량: 책의 원래 가격, 비교하는 양: 할인 금액, 비율: 할인율

6-1 어느 피자 가게에서 테이크 아웃을 하면 25 % 할인을 해 줍니다. 테이크 아웃을 하여 8000원을 할인 받았다면 피자의 원래 가격은 얼마인지 구해 보세요.

> ┌ 가게에서 먹지 않고 포장하여
> └ 가져가는 것.

(   )

6-2 사진의 각 변의 길이를 120 % 확대한 것입니다. 처음 사진의 가로는 몇 cm인지 구해 보세요.

?

➡

18 cm

(   )

1 진우네 반은 남학생이 16명, 여학생이 19명입니다. 진우네 반 전체 학생 수에 대한 남학생 수의 비율을 분수로 나타내어 보세요.

✎ 구하려는 것, 주어진 것에 선을 그어 봅니다.

해결하기 진우네 반 전체 학생 수는 ☐ + ☐ = ☐ (명)입니다.

진우네 반 전체 학생 수에 대한 남학생 수의 비는 ☐ : ☐ 입니다.

따라서 진우네 반 전체 학생 수에 대한 남학생 수의 비율을 분수로 나타내면

☐ 입니다.

답 구하기 ☐

2 버스에 승객이 25명 타고 있습니다. 이 중 남자가 13명일 때 여자 승객 수에 대한 남자 승객 수의 비율을 분수로 나타내어 보세요.

✎ 구하려는 것, 주어진 것에 선을 그어 봅니다.

해결하기

답 구하기

3 야구 선수인 준우와 현서의 안타 기록입니다. 누구의 타율이 더 높은지 구해 보세요. (단, 타율은 전체 타수에 대한 안타 수의 비율입니다.)

160타수 중 안타 40개

준우

300타수 중 안타 81개

현서

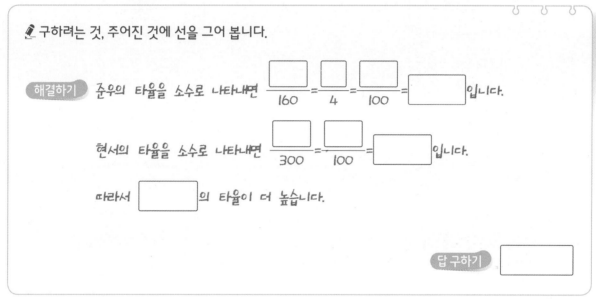

✏️ 구하려는 것, 주어진 것에 선을 그어 봅니다.

해결하기 준우의 타율을 소수로 나타내면 $\frac{\Box}{160} = \frac{\Box}{4} = \frac{\Box}{100} = \Box$ 입니다.

현서의 타율을 소수로 나타내면 $\frac{\Box}{300} = \frac{\Box}{100} = \Box$ 입니다.

따라서 ☐ 의 타율이 더 높습니다.

답 구하기 ☐

4 주현이와 영선이는 농구를 했습니다. 주현이는 15번 던져서 9번을 넣었고, 영선이는 20번 던져서 11번을 넣었습니다. 주현이와 영선이 중 골 성공률은 누가 더 높은지 구해 보세요.

✏️ 구하려는 것, 주어진 것에 선을 그어 봅니다

해결하기

답 구하기

준비물 ◆ 붙임딱지

밀크티에는 펄이 들어갑니다. 주문표에 있는 밀크티 양에 대한 펄 양의 비율을 보고, 알맞은 펄 또는 밀크티 붙임딱지를 붙여 보세요.

밀크

주문표 →

밀크티 양의
3 % 만큼
펄 추가

밀크티 양의
10 % 만큼
펄 추가

밀크티 양의
6 % 만큼
펄 추가

밀크티 양의
8 % 만큼
펄 추가

밀크티 양의
5 % 만큼
펄 추가

밀크티 양의
4 % 만큼
펄 추가

펄 8g

밀크티 양의
4 % 만큼
펄 추가

펄 15g

밀크티 양의
3 % 만큼
펄 추가

펄 24g

밀크티 양의
6 % 만큼
펄 추가

펄 21g

밀크티 양의
7 % 만큼
펄 추가

펄 45g

밀크티 양의
10 % 만큼
펄 추가

펄 20g

밀크티 양의
8 % 만큼
펄 추가

사고력 개념 스토리 | **인형 할인 판매**

준비물 ◀ 붙임딱지

인형 가게에서 인형을 할인하여 판매하고 있습니다. 할인율에 맞게 금액표 붙임딱지를 붙여 보세요.

20% 할인 코너

| 원래 가격 | 10000 원 | 원래 가격 | 12000 원 | 원래 가격 | 8000 원 |

할인된 판매 가격 | | 할인된 판매 가격 | | 할인된 판매 가격 |

| 32000 원 | 원래 가격 | 25000 원 | 원래 가격 | 18000 원 | 원래 가격 |

| | 할인된 판매 가격 | | 할인된 판매 가격 | | 할인된 판매 가격 |

| 원래 가격 | 원래 가격 | 원래 가격 |

| 할인된 판매 가격 | 16000 원 | 할인된 판매 가격 | 40000 원 | 할인된 판매 가격 | 32000 원 |

30% 할인 코너

14000 원
원래 가격
할인된 판매 가격

15000 원
원래 가격
할인된 판매 가격

12000 원
원래 가격
할인된 판매 가격

원래 가격
18000 원
할인된 판매 가격

원래 가격
32000 원
할인된 판매 가격

원래 가격
16000 원
할인된 판매 가격

7000 원
원래 가격
할인된 판매 가격

21000 원
원래 가격
할인된 판매 가격

14000 원
원래 가격
할인된 판매 가격

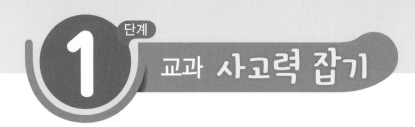

1 같은 시각에 나무와 휴지통의 그림자 길이를 재었습니다. 물음에 답하세요.

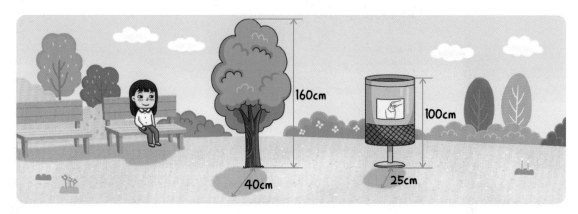

① 나무의 실제 높이에 대한 그림자 길이의 비율을 소수로 나타내어 보세요.

(   )

② 휴지통의 실제 높이에 대한 그림자 길이의 비율을 소수로 나타내어 보세요.

(   )

③ ①과 ②를 비교하고 알게 된 점을 한 가지 써 보세요.

_____

_____

④ 같은 시각에 높이가 400 cm인 건물의 그림자의 길이는 몇 cm일까요?

(   )

2 혜미와 동진이는 사회 시간에 마을 지도를 그렸습니다. 각자의 집에서 마트까지 실제 거리에 대한 지도에서 거리의 비율이 더 큰 사람은 누구인지 구해 보세요.

① 혜미네 집에서 마트까지 실제 거리에 대한 지도에서 거리의 비율을 기약분수로 나타내어 보세요.

( )

② 동진이네 집에서 마트까지 실제 거리에 대한 지도에서 거리의 비율을 기약분수로 나타내어 보세요.

( )

③ 혜미와 동진이 중 집에서 마트까지 실제 거리에 대한 지도에서 거리의 비율이 더 큰 사람은 누구일까요?

( )

3 전체 넓이가 500 m^2인 밭에 다음과 같이 오이와 가지를 각각 심었습니다. 오이를 심은 밭의 넓이에 대한 가지를 심은 밭의 넓이의 비율은 몇 %인지 구해 보세요.

① 오이를 심은 밭의 넓이는 몇 m^2일까요?

( )

② 오이를 심고 남은 밭의 넓이는 몇 m^2일까요?

( )

③ 가지를 심은 밭의 넓이는 몇 m^2일까요?

( )

④ 오이를 심은 밭의 넓이에 대한 가지를 심은 밭의 넓이의 비율은 몇 %일까요?

( )

4 어느 은행에 5년 동안 예금하였을 때 예금한 돈과 이자를 나타낸 것입니다. 매년 이자는 같습니다. 이 은행에 80만 원을 1년 동안 예금하였을 때 이자를 구해 보세요.

예금한 돈	예금한 기간	이자
100만 원	5년	150000원

① 100만 원을 1년 동안 예금하였을 때 이자는 얼마일까요?

(   )

② 알맞은 말이나 수를 찾아 ☐ 안에 써넣으세요.

| 100 | 예금한 돈 | 1년 동안의 이자 |

$$(\text{이자율}) = \cfrac{()}{()} \times \boxed{}$$

③ 예금한 돈에 대한 1년 동안의 이자의 비율은 몇 % 일까요?

(   )

④ 80만 원을 1년 동안 예금하였을 때 이자는 얼마일까요?

(   )

4 주
사고력

1 윤하, 현서, 서희가 조건을 두 가지씩 말하고 있습니다. 조건에 맞는 ㉢에 대한 ㉠의 비율을 기약분수로 각각 나타내어 보세요.

1
윤하

- ㉡에 대한 ㉠의 비율은 $\dfrac{7}{12}$입니다.
- ㉢에 대한 ㉡의 비율은 $\dfrac{3}{14}$입니다.

(   )

2
현서

- ㉢에 대한 ㉡의 비율은 1.6입니다.
- ㉡에 대한 ㉠의 비율은 $\dfrac{3}{4}$입니다.

(   )

3
서희

- ㉠에 대한 ㉡의 비율은 0.4입니다.
- ㉡에 대한 ㉢의 비율은 $1\dfrac{7}{8}$입니다.

(   )

2 A 피자 가게는 개업 기념으로 피자를 할인 판매하고 있습니다. 피자 종류, 할인권, 할인된 판매 가격을 알맞게 선으로 이어 보세요. (단, 피자 종류, 할인권, 할인된 판매 가격은 빠짐없이 모두 선으로 하나씩 이어집니다.)

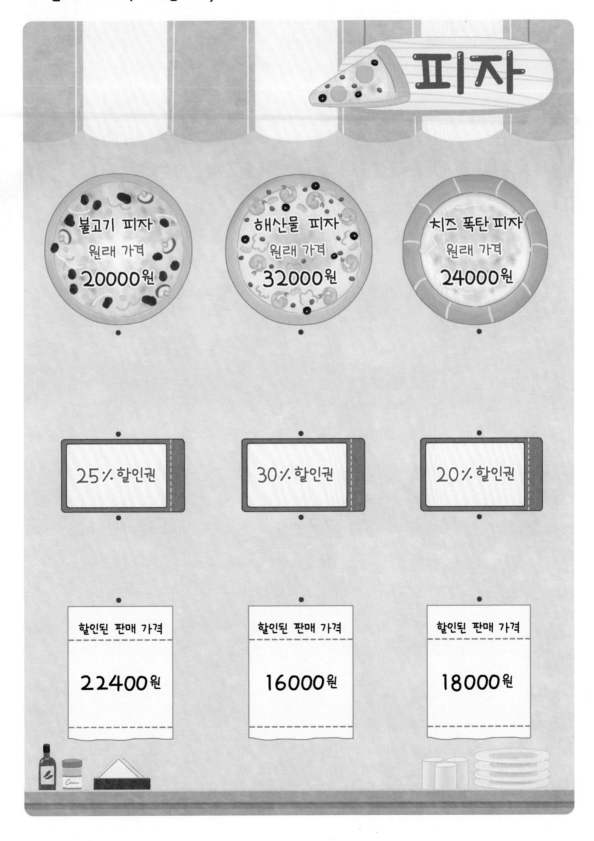

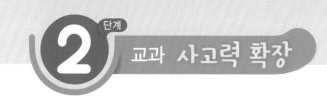

3 사각형 모양의 두 마을이 있습니다. 달님 마을과 햇살 마을 중 인구가 더 밀집한 마을은 어느 마을인지 구해 보세요.

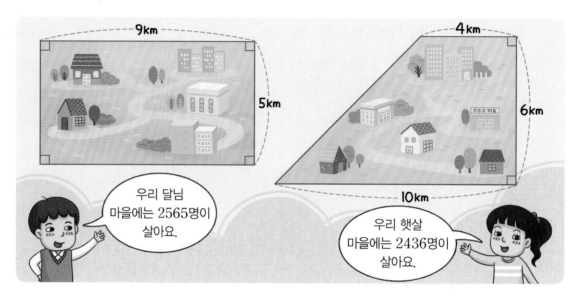

① 달님 마을 넓이에 대한 인구의 비율을 자연수로 나타내어 보세요.

(   )

② 햇살 마을 넓이에 대한 인구의 비율을 자연수로 나타내어 보세요.

(   )

③ 두 마을 중 인구가 더 밀집한 마을은 어디일까요?

(   )

4 동우는 거실을 꾸미기 위해 액자에 맞게 원본 사진의 각 변의 길이를 확대했습니다. 원본 사진에 찍힌 의자와 나무의 높이는 확대한 사진에서 각각 몇 cm인지 구해 보세요.

원본 사진

확대한 사진

① 원본 사진의 가로에 대한 확대한 사진의 가로의 비율을 백분율로 나타내어 보세요.

( )

② 원본 사진의 세로에 대한 확대한 사진의 세로의 비율을 백분율로 나타내어 보세요.

( )

③ 확대한 사진에서 의자의 높이는 몇 cm일까요?

( )

④ 확대한 사진에서 나무의 높이는 몇 cm일까요?

( )

1 그림은 정사각형과 직각삼각형입니다. 정사각형의 넓이에 대한 직각삼각형의 넓이의 비율을 기약분수로 나타내어 보세요.

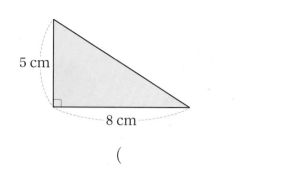

(   )

2 그림은 직사각형과 마름모입니다. 직사각형의 넓이에 대한 마름모의 넓이의 비율을 소수로 나타내어 보세요.

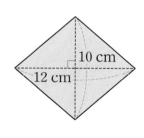

(   )

평가 영역 ☐개념 이해력 ☐개념 응용력 ☐창의력 ☑문제 해결력

3 A 은행과 B 은행에 1년 동안 예금한 돈과 이자를 나타낸 표입니다. 어느 은행에 예금하는 것이 더 이익인지 구해 보세요.

은행	예금한 돈	이자
A 은행	50000원	1500원
B 은행	80000원	3200원

( )

평가 영역 ☐개념 이해력 ☐개념 응용력 ☐창의력 ☑문제 해결력

4 보람 은행과 힘찬 은행에 1년 동안 예금한 돈과 이자를 나타낸 표입니다. 은주가 말한 조건에 맞는 은행에 100만 원을 1년 동안 예금하면 이자는 얼마일까요?

은행	예금한 돈	이자
보람 은행	75000원	1500원
힘찬 은행	80000원	2000원

같은 금액을 같은 기간 동안 예금할 때 더 이익인 은행에 예금할 거야.

은주

( )

1 그림을 보고 ☐ 안에 알맞은 수를 써넣으세요.

(1) 흰 바둑돌은 검은 바둑돌보다 ☐ 개 더 많습니다.

(2) 흰 바둑돌 수는 검은 바둑돌 수의 ☐ 배입니다.

2 비를 보고 ☐ 안에 알맞은 수를 써넣으세요.

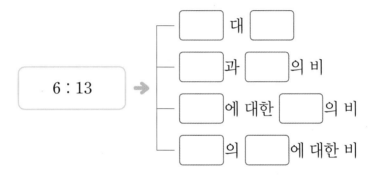

$6 : 13$ →

☐ 대 ☐

☐ 과 ☐ 의 비

☐ 에 대한 ☐ 의 비

☐ 의 ☐ 에 대한 비

3 비교하는 양과 기준량을 찾아 써 보세요.

비	비교하는 양	기준량
11 : 15		
8과 12의 비		

4 비율을 분수와 소수로 각각 나타내어 보세요.

5에 대한 4의 비

분수 (   )

소수 (   )

5 다음 중 기준량을 나타내는 수가 <u>다른</u> 하나는 어느 것입니까?······················ (   )

① 5와 8의 비   ② 8에 대한 9의 비   ③ 15 대 8

④ 21 : 8   ⑤ 8의 17에 대한 비

[6~7] 동전 한 개를 10번 던져 나온 면을 나타낸 표입니다. 물음에 답하세요.

회차	1	2	3	4	5
나온 면	그림	숫자	숫자	그림	숫자
회차	6	7	8	9	10
나온 면	숫자	그림	그림	숫자	숫자

6 동전을 던진 횟수에 대한 그림 면이 나온 횟수의 비를 써 보세요.

(   )

7 동전을 던진 횟수에 대한 그림 면이 나온 횟수의 비율을 분수와 소수로 각각 나타내어 보세요.

분수 (   )

소수 (   )

8 전체에 대한 색칠한 부분의 비율은 몇 %일까요?

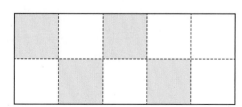

(   )

9 비를 보고 비율로 나타낸 것입니다. 빈칸에 알맞은 수를 써넣으세요.

비	분수	소수	백분율(%)
3 : 4			
17 : 20			

10 알맞은 말에 ◯표 하고 이유를 써서 설명을 완성해 보세요.

은주

3 : 4는 4 : 3과 (같습니다 , 다릅니다).

그 이유는 _____

_____

11 철사로 만든 직사각형입니다. 가로에 대한 세로의 비율을 분수와 소수로 각각 나타내어 보세요.

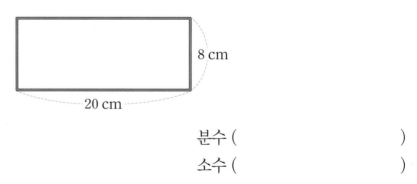

8 cm

20 cm

분수 (   )

소수 (   )

12 소금 90 g을 녹여 소금물 450 g을 만들었습니다. 소금물 양에 대한 소금 양의 비율은 몇 %일까요?

(   )

13 수홍이가 자전거를 타고 2160 m를 가는 데 8분이 걸렸습니다. 걸린 시간(분)에 대한 간 거리(m)의 비율을 구해 보세요.

(   )

14 빵 가게에서 모든 빵을 20 % 할인하여 판매한다고 합니다. 원래 가격이 오른쪽과 같은 도넛을 얼마에 살 수 있을까요?

(   )

1500원

15 정아네 반은 남학생이 12명, 여학생이 18명입니다. 정아네 반 전체 학생 수에 대한 남학생 수의 비율을 소수로 나타내어 보세요.

(   )

 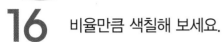
16 비율만큼 색칠해 보세요.

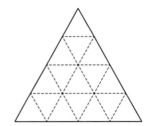

0.25

17 비율이 큰 것부터 차례로 기호를 써 보세요.

㉠ 0.17   ㉡ $\dfrac{1}{5}$ ㉢ 24 %   ㉣ $\dfrac{4}{25}$

(   )

18 효민이가 30만 원을 1년 동안 예금하여 1년 후에 찾은 돈이 306000원이었습니다. 효민이가 1년 동안 예금한 돈에 대한 이자의 비율을 백분율로 나타내어 보세요.

(   )

19 다음과 같이 할인하는 인형을 13000원에 샀습니다. 인형의 원래 가격은 얼마일까요?

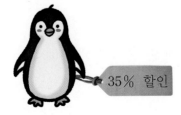

35 % 할인

(   )

1 민재네 도시에서는 마라톤 대회가 열렸습니다. 결승점까지 완주한 참가자에게는 메달과 상장이 주어집니다. 참가자 중 65 %만 완주에 성공했고 이 중에서 45 %가 여성입니다. 완주한 여성 참가자는 모두 몇 명인지 구해 보세요.

(   )

2 떨어진 높이의 80 %만큼 튀어 오르는 공이 있습니다. 이 공을 높이가 2 m인 곳에서 떨어뜨렸을 때 두 번째로 튀어 오른 높이는 몇 cm인지 구해 보세요.

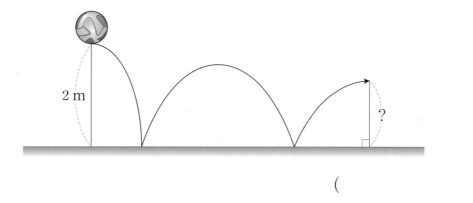

(   )

Memo

14~15쪽

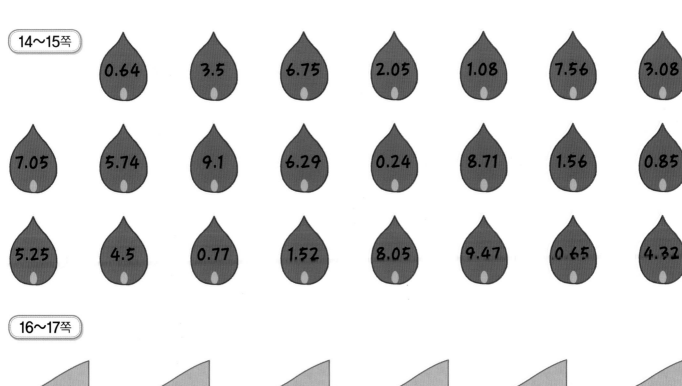

16~17쪽

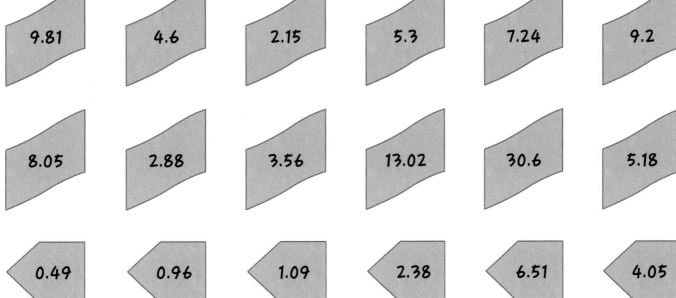

32~33쪽

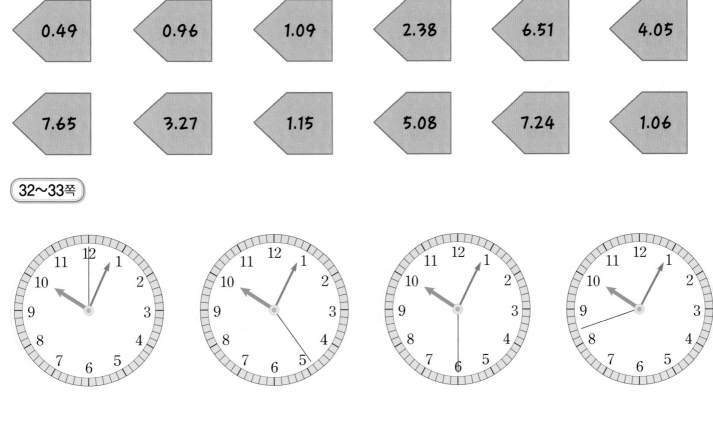

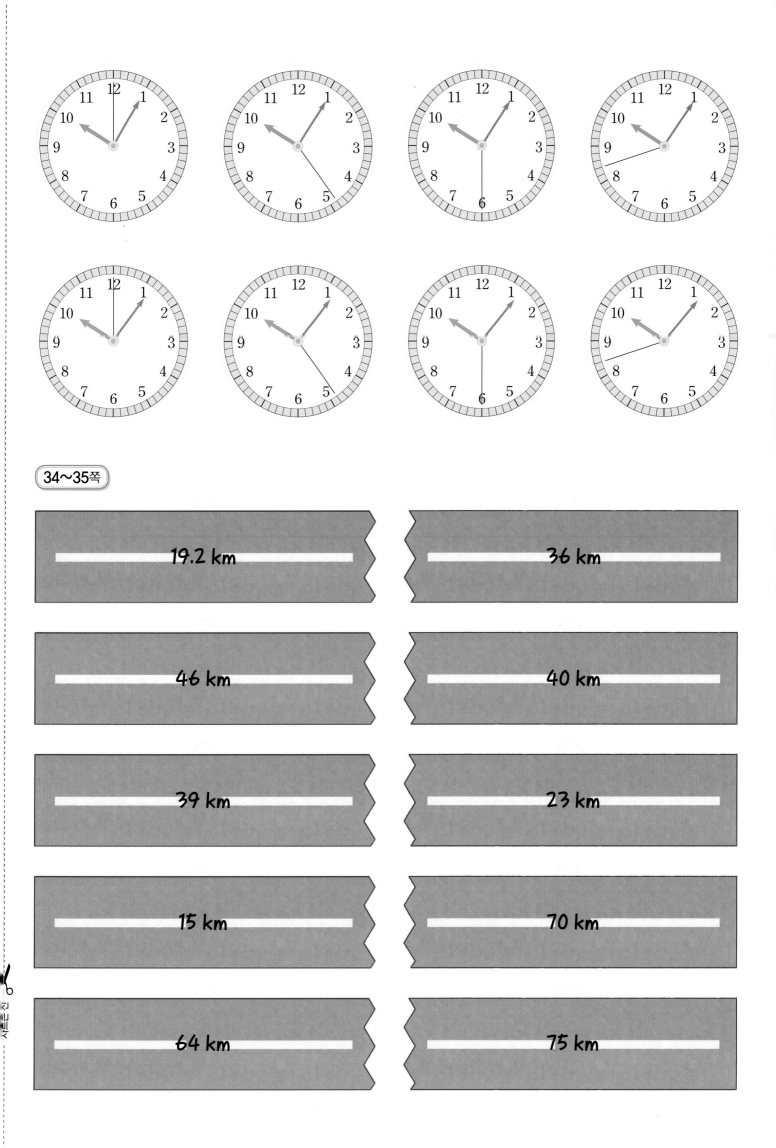

34~35쪽

19.2 km

36 km

46 km

40 km

39 km

23 km

15 km

70 km

64 km

75 km

53쪽

62~63쪽

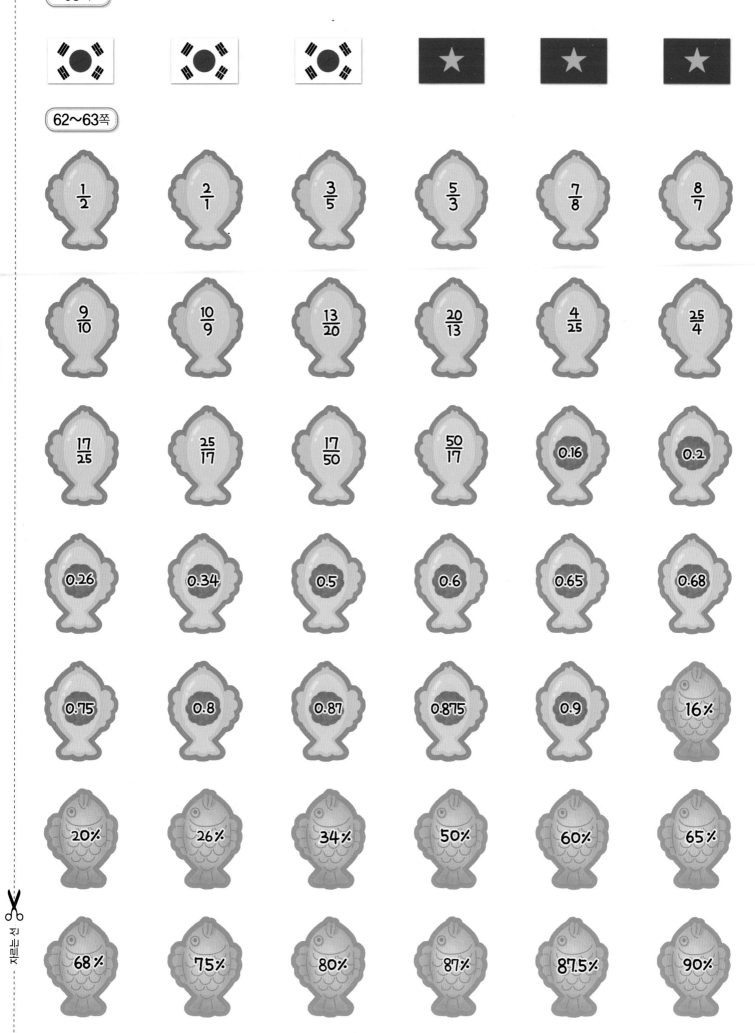

자르는 선

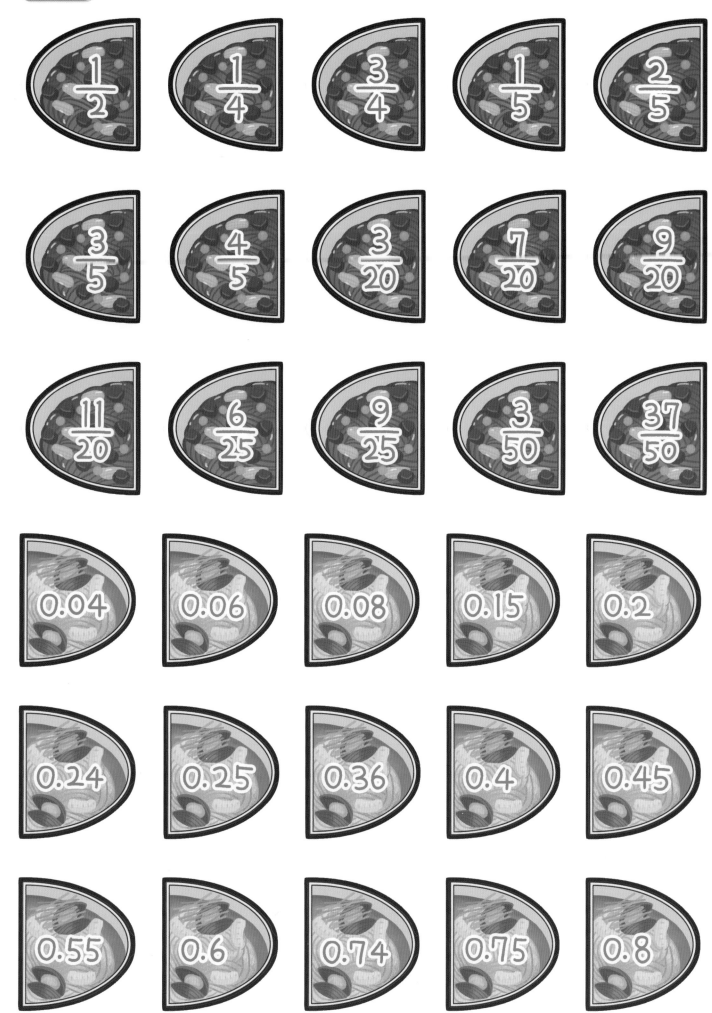

펄 3g.

펄 6g.

펄 14g.

펄 18g.

펄 19g.

펄 24g.

펄 30g.

펄 40g.

밀크티 150g

밀크티 200g

밀크티 250g

밀크티 300g

밀크티 350g

밀크티 400g

밀크티 450g

밀크티 500g

5000원	6400원	8000원	8400원
9000원	9600원	9800원	10000원
10500원	11200원	12000원	12600원
14400원	15000원	20000원	20000원
20000원	22400원	25600원	30000원
30000원	40000원	50000원	50000원

자르는 선

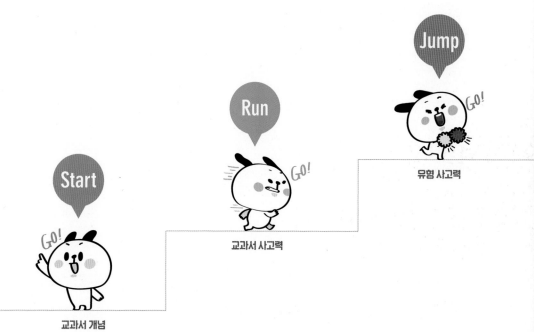

Start

교과서 개념

Run

교과서 사고력

Jump

유형 사고력

#난이도별
#천재되는_수학교재

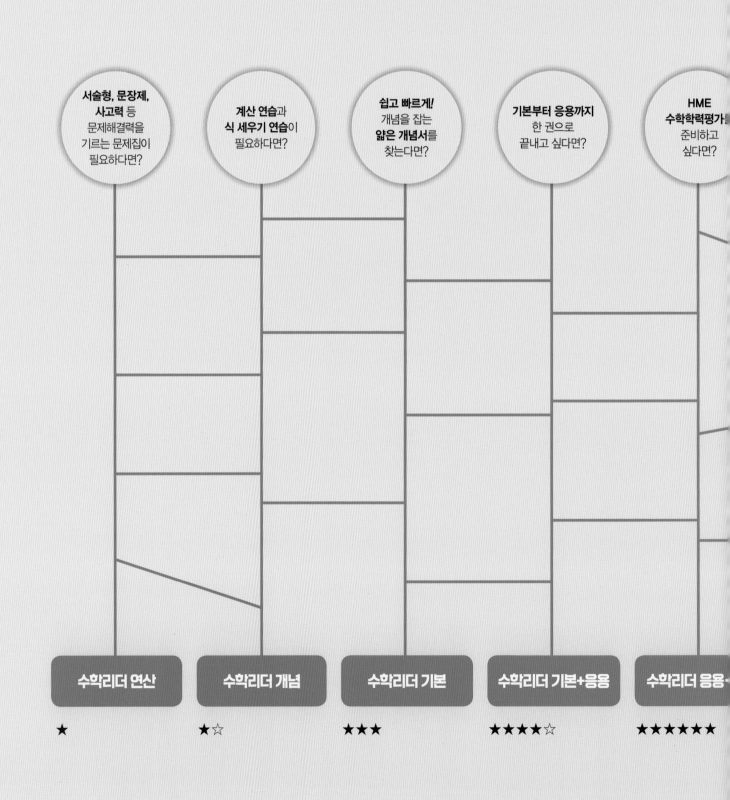

서술형, 문장제, 사고력 등 문제해결력을 기르는 문제집이 필요하다면?

계산 연습과 **식 세우기 연습**이 필요하다면?

쉽고 빠르게! 개념을 잡는 **얇은 개념서**를 찾는다면?

기본부터 응용까지 한 권으로 끝내고 싶다면?

HME 수학학력평가를 준비하고 싶다면?

| 수학리더 연산 | 수학리더 개념 | 수학리더 기본 | 수학리더 기본+응용 | 수학리더 응용+ |

★   ★☆   ★★★   ★★★★☆   ★★★★★★

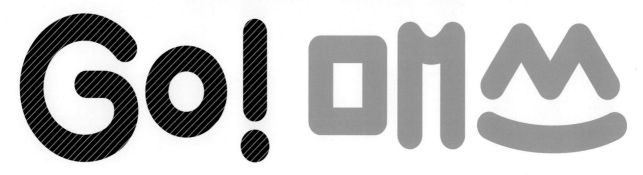

교과서 GO! 사고력 GO!

GO! 매쓰

Run-B

교과서 사고력

정답과 풀이

수학 6-1

정답과 해설
포인트 2가지

▶ 선생님이나 학부모가 쉽게 문제와 풀이를 한눈에 볼 수 있어요.

▶ 자세한 활동 수업에 대한 팁이 가득하게 들어 있어요.

3 소수의 나눗셈

똑같이 나누기

민준이네 모둠과 지선이네 모둠 학생들이 각각 오렌지 주스와 포도 주스를 똑같이 나누어 마시려고 합니다. 각각의 모둠에서 한 사람이 마셔야 할 주스의 양을 어떻게 구할 수 있는지 알아볼까요?

민준이네 모둠   지선이네 모둠

① 민준이네 모둠에서 한 사람이 마셔야 할 오렌지 주스의 양은
$1\frac{4}{5} \div 3 = \frac{9}{5} \div 3 = \frac{9 \div 3}{5} = \frac{3}{5}$ (L)입니다.

② 지선이네 모둠에서 한 사람이 마셔야 할 포도 주스의 양은
$1\frac{7}{10} \div 2 = \frac{17}{10} \div 2 = \frac{17}{10} \times \frac{1}{2} = \frac{17}{20}$ (L)입니다.

①의 오렌지 주스의 양을 소수로 나타내면 $\frac{3}{5} = \frac{6}{10} = 0.6$ L이고,
②의 포도 주스의 양을 소수로 나타내면 $\frac{17}{20} = \frac{85}{100} = 0.85$ L입니다.

➡ 위 ①, ②의 분수의 나눗셈에서 분수가 소수로 바뀐다면 어떻게 계산해야 할까요?
이번 단원에서 소수의 나눗셈에 대하여 함께 공부하면 알 수 있답니다.
먼저 알아두어야 할 개념들을 문제로 풀어보면서 익혀 보세요.

소수를 분수로 나타내어 보세요.

(1) 0.3 ➡ ($\frac{3}{10}$)   (2) 0.19 ➡ ($\frac{19}{100}$)

(3) 0.6 ➡ $\frac{6}{10}\left(=\frac{3}{5}\right)$ (4) 2.4 ➡ $2\frac{4}{10}\left(=2\frac{2}{5}\right)$

(5) 1.35 ➡ $1\frac{35}{100}\left(=1\frac{7}{20}\right)$ (6) 3.74 ➡ $3\frac{74}{100}\left(=3\frac{37}{50}\right)$

✤ 소수 한 자리 수는 분모가 10인 분수로,
소수 두 자리 수는 분모가 100인 분수로 나타냅니다.

계산해 보세요.

(1) $\frac{9}{11} \div 3 = \frac{3}{11}$ (2) $\frac{7}{10} \div 5 = \frac{7}{50}$

(3) $\frac{2}{3} \div 4 = \frac{2}{12}\left(=\frac{1}{6}\right)$ (4) $3\frac{1}{5} \div 2 = \frac{8}{5}\left(=1\frac{3}{5}\right)$

✤ (1) $\frac{9}{11} \div 3 = \frac{9 \div 3}{11} = \frac{3}{11}$ (2) $\frac{7}{10} \div 5 = \frac{7}{10} \times \frac{1}{5} = \frac{7}{50}$

(3) $\frac{2}{3} \div 4 = \frac{2}{3} \times \frac{1}{4} = \frac{2}{12} = \frac{1}{6}$ (4) $3\frac{1}{5} \div 2 = \frac{16}{5} \div 2 = \frac{16 \div 2}{5} = \frac{8}{5} = 1\frac{3}{5}$

계산해 보세요.

(1) 4.2
  × 8
  33.6

(2) 1.6
  × 9
  14.4

(3) 2.3
  × 1.5
  3.45

  2.3
  × 1.5
  1 1 5
  2 3
  3.4 5

(4) 5.2
  × 3.7
  19.24

  5.2
  × 3.7
  3 6 4
  1 5 6
  1 9.2 4

1단계 교과서 개념 잡기

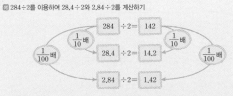

개념 ① 자연수의 나눗셈을 이용한 (소수)÷(자연수) 알아보기

예 284÷2를 이용하여 28.4÷2와 2.84÷2를 계산하기

284 ÷ 2 = 142
$\frac{1}{10}$배 ↓ ↓ $\frac{1}{10}$배
28.4 ÷ 2 = 14.2
$\frac{1}{100}$배 $\frac{1}{100}$배
2.84 ÷ 2 = 1.42

나누는 수가 같고 나누어지는 수가 $\frac{1}{10}\left(\frac{1}{100}\right)$배가 되면 몫도 $\frac{1}{10}\left(\frac{1}{100}\right)$배가 되므로 소수점이 왼쪽으로 한 칸(두 칸) 이동합니다.

개념 ② 각 자리에서 나누어떨어지지 않는 (소수)÷(자연수) 알아보기

예 23.94÷7을 계산하기

방법1 분수의 나눗셈으로 바꾸어 계산하기
$23.94 \div 7 = \frac{2394}{100} \div 7 = \frac{2394 \div 7}{100} = \frac{342}{100} = 3.42$

방법2 자연수의 나눗셈을 이용하여 계산하기
$\frac{1}{100}$배
$2394 \div 7 = 342$ ➡ $23.94 \div 7 = 3.42$
$\frac{1}{100}$배

방법3 세로로 계산하기

➡

자연수의 나눗셈과 같은 방법으로 계산한 뒤, 몫의 소수점은 나누어지는 수의 소수점을 올려 찍습니다.

개념 확인 문제

정답과 풀이 p.1

1-1 □ 안에 알맞은 수를 써넣으세요.

(1) 963÷3=321
$\frac{1}{10}$배 ↓ ↓ $\frac{1}{10}$배
➡ 96.3÷3=**32.1**

(2) 848÷4=212
$\frac{1}{100}$배 ↓ ↓ $\frac{1}{100}$배
➡ 8.48÷4=**2.12**

✤ (1) 나누어지는 수가 $\frac{1}{10}$배가 되면 몫도 $\frac{1}{10}$배가 됩니다.

1-2 자연수의 나눗셈을 이용하여 □ 안에 알맞은 수를 써넣으세요.

(1) 684÷2=342
68.4÷2=**34.2**
6.84÷2=**3.42**

(2) 396÷3=132
39.6÷3=**13.2**
3.96÷3=**1.32**

✤ 나누어지는 수가 $\frac{1}{10}$배, $\frac{1}{100}$배가 되면 몫도 $\frac{1}{10}$배, $\frac{1}{100}$배가 됩니다.

2-1 소수의 나눗셈을 분수의 나눗셈으로 바꾸어 계산하려고 합니다. □ 안에 알맞은 수를 써넣으세요.

(1) $59.2 \div 4 = \frac{\boxed{592}}{10} \div 4 = \frac{\boxed{592} \div 4}{10} = \frac{\boxed{148}}{10} = \boxed{14.8}$

(2) $42.56 \div 8 = \frac{\boxed{4256}}{100} \div 8 = \frac{\boxed{4256} \div 8}{100} = \frac{\boxed{532}}{100} = \boxed{5.32}$

✤ (1) 소수 한 자리 수는 분모가 10인 분수로 바꾸어 계산합니다.
(2) 소수 두 자리 수는 분모가 100인 분수로 바꾸어 계산합니다.

2-2 계산해 보세요.

(1) **4.56**
3)1 3.6 8

  4.5 6
3)1 3.6 8
  1 2
  1 6
  1 5
  1 8
  1 8
  0

(2) **7.73**
5)3 8.6 5

  7.7 3
5)3 8.6 5
  3 5
  3 6
  3 5
  1 5
  1 5
  0

GO! 매쓰 Run- **B** 정답

 교과서 **개념 잡기**

개념 ③ 몫이 1보다 작은 소수인 (소수)÷(자연수) 알아보기

예 3.65÷5를 계산하기

방법1 분수의 나눗셈으로 바꾸어 계산하기

$$3.65÷5=\frac{365}{100}÷5=\frac{365÷5}{100}=\frac{73}{100}=0.73$$

방법2 자연수의 나눗셈을 이용하여 계산하기

$$365÷5=73 \xrightarrow{\frac{1}{100}배} 3.65÷5=0.73$$

방법3 세로로 계산하기

자연수의 나눗셈과 같은 방법으로 계산한 뒤, 몫의 소수점은 나누어지는 수의 소수점을 올려 찍습니다. 이때, 몫의 자연수 부분이 비어 있는 경우 일의 자리에 0을 씁니다.

개념 ④ 소수점 아래 0을 내려 계산해야 하는 (소수)÷(자연수) 알아보기

예 2.6÷4를 계산하기

방법1 분수의 나눗셈으로 바꾸어 계산하기

$$2.6÷4=\frac{260}{100}÷4=\frac{260÷4}{100}=\frac{65}{100}=0.65$$

방법2 자연수의 나눗셈을 이용하여 계산하기

$$260÷4=65 \xrightarrow{\frac{1}{100}배} 2.6÷4=0.65$$

방법3 세로로 계산하기

소수점 아래에서 나누어떨어지지 않는 경우 0을 내려 계산합니다.

개념 확인 문제

3-1 자연수의 나눗셈을 이용하여 □ 안에 알맞은 수를 써넣으세요.

(1) 518÷7= **74** → 5.18÷7= **0.74**

(2) 315÷5= **63** → 3.15÷5= **0.63**

3-2 계산해 보세요.

(1) **0.32**

(2) **0.95**

4-1 소수의 나눗셈을 분수의 나눗셈으로 바꾸어 계산하려고 합니다. □ 안에 알맞은 수를 써넣으세요.

(1) $9.4÷4=\frac{\boxed{940}}{100}÷4=\frac{\boxed{940}÷4}{100}=\frac{\boxed{235}}{100}=\boxed{2.35}$

(2) $7.5÷6=\frac{\boxed{750}}{100}÷6=\frac{\boxed{750}÷6}{100}=\frac{\boxed{125}}{100}=\boxed{1.25}$

✿ (1) $9.4÷4=\frac{94÷4}{10}$로 바꾸면 94÷4가 자연수로 나누어떨어지지 않으므로 $\frac{940÷4}{100}$로 계산합니다.

4-2 나머지가 0이 될 때까지 계산해 보세요.

(1) **5.35**

(2) **3.86**

 교과서 **개념 잡기**

개념 ⑤ 몫의 소수 첫째 자리에 0이 있는 (소수)÷(자연수) 알아보기

예 3.15÷3을 계산하기

방법1 분수의 나눗셈으로 바꾸어 계산하기

$$3.15÷3=\frac{315}{100}÷3=\frac{315÷3}{100}=\frac{105}{100}=1.05$$

방법2 자연수의 나눗셈을 이용하여 계산하기

$$315÷3=105 \xrightarrow{\frac{1}{100}배} 3.15÷3=1.05$$

방법3 세로로 계산하기

1÷3처럼 수를 하나 내렸음에도 나누어야 할 수가 나누는 수보다 작은 경우에는 몫에 0을 쓰고 수를 하나 더 내려 계산합니다.

예 5.3÷5를 계산하기

방법1 분수의 나눗셈으로 바꾸어 계산하기

$$5.3÷5=\frac{530}{100}÷5=\frac{530÷5}{100}=\frac{106}{100}=1.06$$

방법2 자연수의 나눗셈을 이용하여 계산하기

$$530÷5=106 \xrightarrow{\frac{1}{100}배} 5.3÷5=1.06$$

방법3 세로로 계산하기

소수점 아래에서 나누어떨어지지 않는 경우 0을 내려 계산합니다.

개념 확인 문제

5-1 소수의 나눗셈을 분수의 나눗셈으로 바꾸어 계산하려고 합니다. □ 안에 알맞은 수를 써넣으세요.

(1) $6.24÷6=\frac{\boxed{624}}{100}÷6=\frac{\boxed{624}÷6}{100}=\frac{\boxed{104}}{100}=\boxed{1.04}$

(2) $9.18÷3=\frac{\boxed{918}}{100}÷3=\frac{\boxed{918}÷3}{100}=\frac{\boxed{306}}{100}=\boxed{3.06}$

✿ 소수 두 자리 수는 분모가 100인 분수로 바꾸어 계산합니다.

5-2 자연수의 나눗셈을 이용하여 □ 안에 알맞은 수를 써넣으세요.

(1) 2842÷7= **406** → 28.42÷7= **4.06**

(2) 2520÷5= **504** → 25.2÷5= **5.04**

5-3 계산해 보세요.

(1) **3.09**

(2) **5.09**

5-4 나머지가 0이 될 때까지 계산해 보세요.

(1) **4.05**

(2) **6.05**

① 교과서 개념 잡기

개념 6 (자연수)÷(자연수)의 몫을 소수로 나타내기

☑ 5÷4를 계산하기

방법1 분수로 바꾸어 계산하기

$$5 \div 4 = \frac{5}{4} = \frac{5 \times 25}{4 \times 25} = \frac{125}{100} = 1.25$$

방법2 자연수의 나눗셈을 이용하여 계산하기

$$500 \div 4 = 125 \Rightarrow 5 \div 4 = 1.25$$

방법3 세로로 계산하기

> 5는 5.00과 같습니다. 몫의 소수점은 자연수 바로 뒤에서 올려서 찍고 더 이상 계산할 수 없을 때까지 내림을 하고, 내릴 수가 없을 경우 0을 내려 계산합니다

개념 7 몫의 소수점 위치를 확인해 보기

☑ 어림셈하여 31.8÷4의 몫의 소수점 위치 확인하기

31.8은 소수 첫째 자리에서 반올림하면 32이므로 31.8을 32로 어림하여 계산합니다.

$$31.8 \div 4 \Rightarrow 32 \div 4 \Rightarrow 약 8$$

따라서 31.8÷4의 몫은 79.5와 7.95 중 7.95입니다.

☑ 어림셈하여 92.4÷7의 몫의 소수점 위치 확인하기

91÷7은 쉽게 나누어떨어지므로 92.4를 91로 어림하여 계산합니다.

$$92.4 \div 7 \Rightarrow 91 \div 7 = 13$$

나누어지는 수 92.4는 91보다 크므로 92.4÷7의 몫은 13보다 커야 합니다.
따라서 92.4÷7의 몫은 1.32와 13.2 중 13.2입니다.

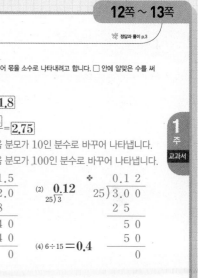

개념 확인 문제

6-1 자연수의 나눗셈을 분수로 바꾸어 몫을 소수로 나타내려고 합니다. □ 안에 알맞은 수를 써넣으세요.

(1) $9 \div 5 = \dfrac{\boxed{9}}{5} = \dfrac{\boxed{18}}{10} = \boxed{1.8}$

(2) $11 \div 4 = \dfrac{\boxed{11}}{4} = \dfrac{\boxed{275}}{100} = \boxed{2.75}$

✲ (1) 몫을 분수로 나타낸 다음 분모가 10인 분수로 바꾸어 나타냅니다.
(2) 몫을 분수로 나타낸 다음 분모가 100인 분수로 바꾸어 나타냅니다.

6-2 계산해 보세요.

(1) $\boxed{1.5}$ 8)12.0
(2) $\boxed{0.12}$ 25)3
(3) $13 \div 2 = \boxed{6.5}$
(4) $6 \div 15 = \boxed{0.4}$

7-1 [보기]와 같이 소수를 반올림하여 일의 자리까지 나타내어 어림한 식으로 표현해 보세요.

> [보기] $47.7 \div 6 \Rightarrow 48 \div 6$

(1) $14.94 \div 3 \Rightarrow (\boxed{15 \div 3})$
(2) $34.85 \div 5 \Rightarrow (\boxed{35 \div 5})$

✲ (1) 14.94를 소수 첫째 자리에서 반올림하면 15입니다.
(2) 34.85를 소수 첫째 자리에서 반올림하면 35입니다.

7-2 몫을 어림하여 알맞은 식을 찾아 ○표 하세요.

(1) $17.2 \div 8 = 215$ ( )
$17.2 \div 8 = 21.5$ ( )
$17.2 \div 8 = 2.15$ (○)

(2) $31.4 \div 2 = 157$ ( )
$31.4 \div 2 = 15.7$ (○)
$31.4 \div 2 = 1.57$ ( )

✲ 17.2÷8에서 17.2를 소수 첫째 자리에서 반올림하면 17입니다. 17÷8의 몫은 2보다 크고 3보다 작으므로 17.2÷8=2.15입니다.

✲ 31.4÷2에서 31.4를 소수 첫째 자리에서 반올림하면 31입니다. 31÷2의 몫은 15보다 크고 16보다 작으므로 31.4÷2=15.7입니다.

PLAY 교과서 개념 스토리 향초에 불 붙이기

향초

나눗셈의 몫이 써 있는 불꽃 붙임딱지를 붙여 향초에 불을 붙여 보세요.

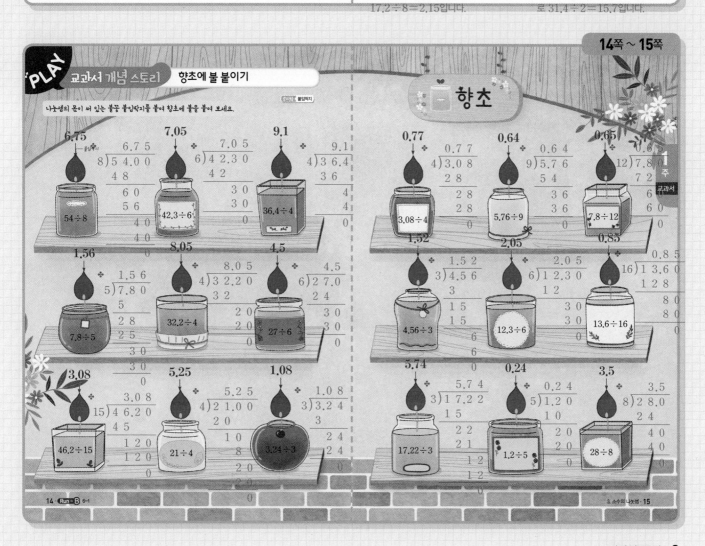

PLAY 교과서 개념 스토리 끊어진 길 이어 붙이기

택배를 각 집에 배달하려고 합니다. 나눗셈의 몫이 써 있는 길 붙임딱지를 붙여 끊어진 길을 이어 주세요.

2단계 교과서 개념 다지기

정답과 풀이 p.4

개념 1 각 자리에서 나누어떨어지지 않는 (소수)÷(자연수) 알아보기

01 가장 큰 수를 가장 작은 수로 나눈 몫을 구해 보세요.

| 27.72 | 4 | 5 | 8.65 |

(6.93)

✿ 가장 큰 수: 27.72, 가장 작은 수: 4
➜ $27.72 \div 4 = 6.93$

02 계산 결과를 찾아 선으로 이어 보세요.

✿ $22.44 \div 3 = 7.48$, $37.59 \div 7 = 5.37$, $17.12 \div 8 = 2.14$

03 넓이가 20.25 cm²인 정사각형을 9등분 하였습니다. 색칠한 부분의 넓이는 몇 cm²인지 구해 보세요.

(2.25 cm²)

✿ 색칠한 부분은 정사각형을 9등분 한 것 중의 하나입니다.
➜ $20.25 \div 9 = 2.25 (cm^2)$

개념 2 몫이 1보다 작은 소수인 (소수)÷(자연수) 알아보기

04 빈칸에 알맞은 소수를 써넣으세요.

÷		
5.16	6	**0.86**
8.55	9	**0.95**

✿ $5.16 \div 6 = 0.86$, $8.55 \div 9 = 0.95$

05 잘못 계산한 부분을 찾아 바르게 계산해 보세요.

```
      5.8              0.58
8)4.6 4    ➡    8)4.6 4
  4 0                40
   6 4                64
   6 4                64
     0                 0
```

✿ 나누어지는 수 4.64의 자연수 부분 4는 나누는 수 8보다 작으므로 몫의 자연수 부분에 0을 쓰고 계산해야 합니다.

06 몫이 큰 것부터 차례로 기호를 써 보세요.

| ㉠ 2.16÷3 | ㉡ 4.25÷5 | ㉢ 5.32÷7 |

(㉡, ㉢, ㉠)

✿ ㉠ 0.72 ㉡ 0.85 ㉢ 0.76
➜ 0.85 > 0.76 > 0.72이므로 ㉡ > ㉢ > ㉠입니다.

2 단계 교과서 개념 다지기

개념3 소수점 아래 0을 내려 계산해야 하는 (소수)÷(자연수) 알아보기

07 자연수의 나눗셈을 이용하여 소수의 나눗셈을 하려고 합니다. □ 안에 알맞은 수를 써넣으세요.

(1) $90 \div 2 = \boxed{45} \rightarrow 0.9 \div 2 = \boxed{0.45}$

(2) $810 \div 6 = \boxed{135} \rightarrow 8.1 \div 6 = \boxed{1.35}$

✤ 나누어지는 수가 $\frac{1}{100}$ 배가 되면 몫도 $\frac{1}{100}$ 배가 됩니다.

08 몫이 다른 나눗셈을 쓴 학생의 이름을 써 보세요.

서희   현서   윤하

(서희)

✤ 서희: $14.6 \div 4 = 3.65$, 현서: $22.5 \div 6 = 3.75$, 윤하: $7.5 \div 2 = 3.75$
→ 몫이 다른 나눗셈을 쓴 학생은 서희입니다.

09 그림과 같이 넓이가 37.2 cm²인 직사각형의 세로는 몇 cm인지 구해 보세요.

넓이: 37.2 cm²
8 cm

(4.65 cm)

✤ (직사각형의 넓이)=(가로)×(세로)
→ (세로)=(직사각형의 넓이)÷(가로)
$= 37.2 \div 8 = 4.65$ (cm)

개념4 몫의 소수 첫째 자리에 0이 있는 (소수)÷(자연수) 알아보기

10 몫의 소수 첫째 자리에 0이 있는 나눗셈을 찾아 ○표 하세요.

$73.5 \div 7$ $5.2 \div 5$

( )   (○)

✤ $73.5 \div 7 = 10.5$, $5.2 \div 5 = 1.04$

11 □ 안에 알맞은 소수를 써넣으세요.

(1) $\boxed{2.05} \times 9 = 18.45$ (2) $\boxed{9.05} \times 6 = 54.3$

✤ (1) □ × 9 = 18.45   (2) □ × 6 = 54.3
→ □ = 18.45 ÷ 9 = 2.05   → □ = 54.3 ÷ 6 = 9.05

12 끈 6.12 m를 3명이 남김없이 똑같이 나누어 가지려고 합니다. 한 명이 가질 수 있는 끈이 몇 m인지 두 가지 방법으로 구해 보세요.

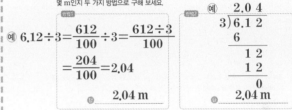

방법1

$6.12 \div 3 = \dfrac{612}{100} \div 3 = \dfrac{612 \div 3}{100}$
$= \dfrac{204}{100} = 2.04$

답 **2.04 m**

방법2

예
$$\begin{array}{r} 2.04 \\ 3\overline{)6.12} \\ \underline{6} \\ 1\,2 \\ \underline{1\,2} \\ 0 \end{array}$$

답 **2.04 m**

✤ (소수)÷(자연수)를 계산하는 방법에는 분수의 나눗셈으로 바꾸어 계산하는 방법, 자연수의 나눗셈을 이용하여 계산하는 방법, 세로로 계산하는 방법이 있습니다.

2 단계 교과서 개념 다지기

개념5 (자연수)÷(자연수)의 몫을 소수로 나타내기

13 빈 곳에 알맞은 소수를 써넣으세요.

(1)

14   ÷8 $\boxed{1.75}$

(2)

54   ÷25 $\boxed{2.16}$

✤ (1) $14 \div 8 = 1.75$ (2) $54 \div 25 = 2.16$

14 계산 결과를 찾아 선으로 이어 보세요.

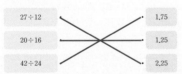

$27 \div 12$ — 1.75
$20 \div 16$ — 1.25
$42 \div 24$ — 2.25

✤ $27 \div 12 = 2.25$, $20 \div 16 = 1.25$, $42 \div 24 = 1.75$

15 다음과 같이 지름이 9 cm인 큰 원 안에 크기가 같은 작은 원 6개를 그렸습니다. 작은 원의 지름은 몇 cm인지 소수로 나타내어 보세요.

(1.5 cm)

✤ (작은 원의 지름)=(큰 원의 지름)÷6 = 9÷6 = 1.5 (cm)

개념6 몫의 소수점 위치를 확인해 보기

16 보기 와 같이 소수를 반올림하여 일의 자리까지 나타내어 어림한 식으로 표현하고, 몫을 어림해 보세요.

보기
$35.7 \div 6 \rightarrow 36 \div 6 \rightarrow$ 약 6

(1) $17.67 \div 3 \rightarrow ($ $18 \div 3$ $) \rightarrow$ 약 $\boxed{6}$

(2) $28.48 \div 4 \rightarrow ($ $28 \div 4$ $) \rightarrow$ 약 $\boxed{7}$

✤ (1) 17.67을 소수 첫째 자리에서 반올림하면 18입니다. → $18 \div 3 = 6$
(2) 28.48을 소수 첫째 자리에서 반올림하면 28입니다. → $28 \div 4 = 7$

17 어림셈하여 몫의 소수점 위치를 찾으려고 합니다. □ 안에 알맞은 수를 써넣고 소수점을 찍어 보세요.

(1) $31.4 \div 5$
예 어림 $\boxed{31} \div \boxed{5} \rightarrow$ 약 $\boxed{6}$ 몫 6⦁2⦁8

(2) $90.3 \div 7$
예 어림 $\boxed{90} \div \boxed{7} \rightarrow$ 약 $\boxed{13}$ 몫 1⦁2⦁9

✤ (1) 31.4를 소수 첫째 자리에서 반올림하면 31입니다. 31÷5의 몫은 6보다 크고 7보다 작은 수이므로 $31.4 \div 5 = 6.28$이 답이 됩니다.

(2) 90.3을 소수 첫째 자리에서 반올림하면 90입니다. 90÷7의 몫은 12보다 크고 13보다 작은 수이므로 $90.3 \div 7 = 12.9$가 답이 됩니다.

18 몫을 어림하여 몫이 1보다 큰 나눗셈을 모두 찾아 ○표 하세요.

$3.45 \div 3$ $5.22 \div 6$ $2.56 \div 8$
$2.37 \div 3$ $6.18 \div 6$ $8.08 \div 8$
$1.41 \div 3$ $6.54 \div 6$ $9.12 \div 8$

✤ 나누어지는 수가 나누는 수보다 크면 몫이 1보다 크고, 나누어지는 수가 나누는 수보다 작으면 몫이 1보다 작습니다.

따라서 나누어지는 수가 나누는 수보다 큰 나눗셈을 찾으면 $3.45 \div 3$, $6.18 \div 6$, $6.54 \div 6$, $8.08 \div 8$, $9.12 \div 8$입니다.

③ 단계 교과서 실력 다지기

정답과 풀이 p.6

★ 둘레를 이용하여 한 변의 길이 구하기

1 오른쪽 정사각형의 둘레는 30.4 cm입니다. 정사각형의 한 변의 길이는 몇 cm인지 구해 보세요.

답 **7.6 cm**

개념 리드북
① 정사각형은 네 변의 길이가 같습니다.
② (정사각형의 한 변의 길이)=(정사각형의 둘레)÷4

❖ 30.4÷4=7.6(cm)

1-1 오른쪽 정팔각형의 둘레는 20.8 cm입니다. 정팔각형의 한 변의 길이는 몇 cm인지 구해 보세요.

(**2.6 cm**)

❖ 정팔각형은 8개 변의 길이가 같습니다.
20.8÷8=2.6(cm)

1-2 길이가 45 cm인 끈을 겹치지 않게 모두 사용하여 크기가 같은 정삼각형 2개를 만들었습니다. 정삼각형의 한 변의 길이는 몇 cm인지 구해 보세요.

(**7.5 cm**)

❖ (정삼각형 1개를 만드는데 사용한 끈의 길이)=45÷2=22.5(cm)
(정삼각형의 한 변의 길이)=22.5÷3=7.5(cm)

★ 일정한 빠르기로 갈 수 있는 거리 구하기

2 일정한 빠르기로 15분 동안 20.55 km를 가는 자동차가 있습니다. 이 자동차가 같은 빠르기로 25분 동안 갈 수 있는 거리는 몇 km인지 구해 보세요.

답 **34.25 km**

개념 리드북
① 1분 동안 갈 수 있는 거리를 구합니다.
② (■분 동안 갈 수 있는 거리)=(1분 동안 갈 수 있는 거리)×■

❖ (1분 동안 갈 수 있는 거리)=20.55÷15=1.37 (km)
(25분 동안 갈 수 있는 거리)=1.37×25=34.25 (km)

2-1 일정한 빠르기로 6분 동안 15 km를 가는 오토바이가 있습니다. 이 오토바이가 같은 빠르기로 20분 동안 갈 수 있는 거리는 몇 km인지 구해 보세요.

(**50 km**)

❖ (1분 동안 갈 수 있는 거리)=15÷6=2.5 (km)
(20분 동안 갈 수 있는 거리)=2.5×20=50 (km)

2-2 일정한 빠르기로 8분 동안 22 km를 가는 자동차가 있습니다. 이 자동차가 같은 빠르기로 한 시간 동안 갈 수 있는 거리는 몇 km인지 구해 보세요.

(**165 km**)

❖ (1분 동안 갈 수 있는 거리)=22÷8=2.75 (km)
한 시간은 60분입니다.
(60분 동안 갈 수 있는 거리)=2.75×60=165 (km)

③ 단계 교과서 실력 다지기

정답과 풀이 p.6

★ 한 개의 무게 구하기

3 무게가 같은 배 5개가 담겨 있는 상자의 무게가 7 kg이고, 빈 상자의 무게는 0.3 kg입니다. 배 한 개의 무게는 몇 kg인지 구해 보세요.

답 **1.34 kg**

개념 리드북
① 배 5개의 무게를 구합니다.
② ①에서 구한 무게를 배의 수로 나눈 몫을 구합니다.

❖ (배 5개의 무게)=7-0.3=6.7 (kg)
(배 한 개의 무게)=6.7÷5=1.34 (kg)

3-1 무게가 같은 수박 7통이 담겨 있는 상자의 무게가 43 kg이고, 빈 상자의 무게는 0.65 kg입니다. 수박 한 통의 무게는 몇 kg인지 구해 보세요.

(**6.05 kg**)

❖ (수박 7통의 무게)=43-0.65=42.35 (kg)
(수박 한 통의 무게)=42.35÷7=6.05 (kg)

3-2 그림을 보고 한 개의 무게가 더 무거운 것은 빨간색 사과와 초록색 사과 중 어느 것인지 구해 보세요. (단, 빨간색 사과는 빨간색 사과끼리, 초록색 사과는 초록색 사과끼리 각각 무게가 같습니다.)

3.28 kg   4.02 kg

(**빨간색 사과**)

❖ (빨간색 사과 한 개의 무게)=3.28÷4=0.82 (kg)
(초록색 사과 한 개의 무게)=4.02÷6=0.67 (kg)
따라서 0.82＞0.67이므로 빨간색 사과가 더 무겁습니다.

★ 바르게 계산하기

4 어떤 수를 5로 나누어야 할 것을 잘못하여 5를 곱했더니 13.75가 되었습니다. 바르게 계산한 몫을 구해 보세요.

답 **0.55**

개념 리드북
① 어떤 수를 □라 하고 잘못 계산한 식을 세웁니다.
② ①의 식을 이용하여 어떤 수를 구합니다.
③ 바르게 계산한 값을 구합니다.

❖ 어떤 수를 □라 하면 □×5=13.75입니다.
➡ □×5=13.75, □=13.75÷5=2.75
따라서 바르게 계산하면 2.75÷5=0.55입니다.

4-1 어떤 수를 7로 나누어야 할 것을 잘못하여 7을 곱했더니 51.45가 되었습니다. 바르게 계산한 몫을 구해 보세요.

(**1.05**)

❖ 어떤 수를 □라 하면 □×7=51.45입니다.
➡ □×7=51.45, □=51.45÷7=7.35
따라서 바르게 계산하면 7.35÷7=1.05입니다.

4-2 어떤 수를 6으로 나누어야 할 것을 잘못하여 9로 나누었더니 몫이 3이 되었습니다. 바르게 계산한 몫을 구해 보세요.

(**4.5**)

❖ 어떤 수를 □라 하면 □÷9=3입니다.
➡ □÷9=3, □=3×9=27
따라서 바르게 계산하면 27÷6=4.5입니다.

1 주
교과서

③단계 교과서 실력 다지기

정답과 풀이 p.7

★ □ 안에 들어갈 수 있는 자연수 구하기

5 1부터 9까지의 자연수 중에서 □ 안에 들어갈 수 있는 수는 모두 몇 개인지 구해 보세요.

$$21.15 \div 5 > 4.2\square$$

답 __2개__

개념 피드백
① 계산할 수 있는 부분을 먼저 계산합니다.
② 소수의 크기를 비교할 때는 자연수 부분부터 차례로 비교합니다.

❖ 21.15÷5=4.23이므로 4.23>4.2□입니다.
따라서 □ 안에 들어갈 수 있는 수는 1, 2로 모두 2개입니다.

5-1 □ 안에 들어갈 수 있는 자연수 중 가장 큰 수를 구해 보세요.

$$30.18 \div 6 > \square$$

(__5__)

❖ 30.18÷6=5.03이므로 5.03>□입니다.
따라서 □ 안에 들어갈 수 있는 자연수 중 가장 큰 수는 5입니다.

5-2 □ 안에 들어갈 수 있는 자연수는 모두 몇 개인지 구해 보세요.

$$25 \div 4 < \square < 78.82 \div 7$$

(__5개__)

❖ 25÷4=6.25이고 78.82÷7=11.26이므로 6.25<□<11.26 입니다. 따라서 □ 안에 들어갈 수 있는 자연수는 7, 8, 9, 10, 11로 모두 5개입니다.

28 · Run=B 6-1

★ 수 카드로 나눗셈식 만들어 계산하기

6 수 카드 4장을 한 번씩 모두 사용하여 계산 결과가 가장 큰 (소수 두 자리 수)÷(한 자리 수)를 만들고 계산해 보세요.

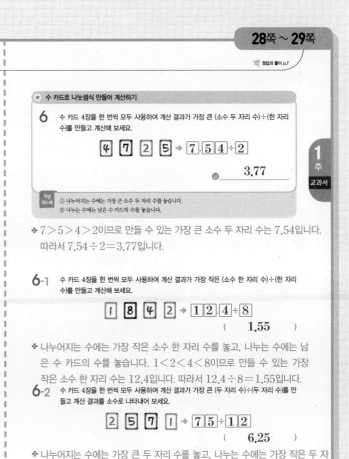

4 7 2 5 → 7.54÷2

답 __3.77__

개념 피드백
① 나누어지는 수는 가장 큰 소수 두 자리 수를 놓습니다.
② 나누는 수는 남은 수 카드의 수를 놓습니다.

❖ 7>5>4>2이므로 만들 수 있는 가장 큰 소수 두 자리 수는 7.54입니다.
따라서 7.54÷2=3.77입니다.

6-1 수 카드 4장을 한 번씩 모두 사용하여 계산 결과가 가장 작은 (소수 한 자리 수)÷(한 자리 수)를 만들고 계산해 보세요.

1 8 4 2 → 12.4÷8

(__1.55__)

❖ 나누어지는 수에는 가장 작은 소수 한 자리 수를 놓고, 나누는 수에는 남은 수 카드의 수를 놓습니다. 1<2<4<8이므로 만들 수 있는 가장 작은 소수 한 자리 수는 12.4입니다. 따라서 12.4÷8=1.55입니다.

6-2 수 카드 4장을 한 번씩 모두 사용하여 계산 결과가 가장 큰 (두 자리 수)÷(두 자리 수)를 만들고 계산 결과를 소수로 나타내어 보세요.

2 5 7 1 → 75÷12

(__6.25__)

❖ 나누어지는 수에는 가장 큰 두 자리 수를 놓고, 나누는 수에는 가장 작은 두 자리 수를 놓습니다. 7>5>2>1이므로 만들 수 있는 가장 큰 두 자리 수는 75이고 가장 작은 두 자리 수는 12입니다. 따라서 75÷12=6.25입니다.

3. 소수의 나눗셈 · 29

Test 교과서 서술형 연습

정답과 풀이 p.7

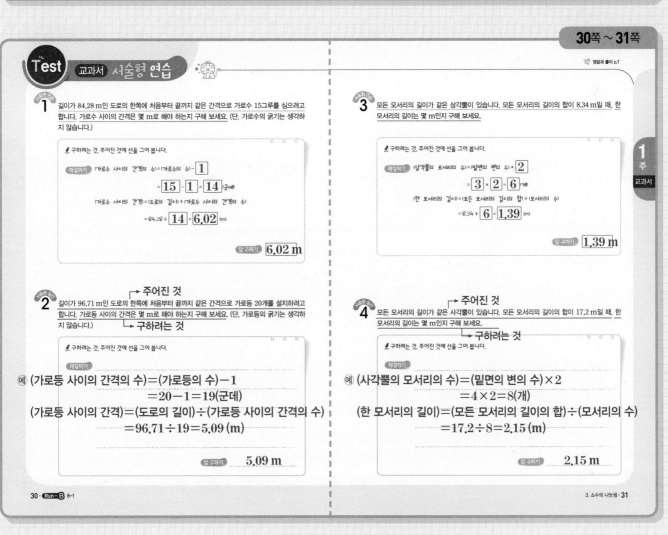

1 길이가 84.28 m인 도로의 한쪽에 처음부터 끝까지 같은 간격으로 가로수 15그루를 심으려고 합니다. 가로수 사이의 간격은 몇 m로 해야 하는지 구해 보세요. (단, 가로수의 굵기는 생각하지 않습니다.)

🖉 구하려는 것, 주어진 것에 선을 그어 봅니다.

해결하기 (가로수 사이의 간격의 수)=(가로수의 수)- 1
=15-1=14(군데)

(가로수 사이의 간격)=(도로의 길이)÷(가로수 사이의 간격의 수)
=84.28÷14=6.02(m)

답 구하기 **6.02 m**

2 길이가 96.71 m인 도로의 한쪽에 처음부터 끝까지 같은 간격으로 가로등 20개를 설치하려고 합니다. 가로등 사이의 간격은 몇 m로 해야 하는지 구해 보세요. (단, 가로등의 굵기는 생각하지 않습니다.)

→ 주어진 것
→ 구하려는 것

🖉 구하려는 것, 주어진 것에 선을 그어 봅니다.

해결하기
예 (가로등 사이의 간격의 수)=(가로등의 수)-1
=20-1=19(군데)
(가로등 사이의 간격)=(도로의 길이)÷(가로등 사이의 간격의 수)
=96.71÷19=5.09 (m)

답 구하기 **5.09 m**

30 · Run=B 6-1

3 모든 모서리의 길이가 같은 삼각뿔이 있습니다. 모든 모서리의 길이의 합이 8.34 m일 때, 한 모서리의 길이는 몇 m인지 구해 보세요.

🖉 구하려는 것, 주어진 것에 선을 그어 봅니다.

해결하기 (삼각뿔의 모서리의 수)=(밑면의 변의 수)× 2
=3×2=6(개)

(한 모서리의 길이)=(모든 모서리의 길이의 합)÷(모서리의 수)
=8.34÷6=1.39(m)

답 구하기 **1.39 m**

4 모든 모서리의 길이가 같은 사각뿔이 있습니다. 모든 모서리의 길이의 합이 17.2 m일 때, 한 모서리의 길이는 몇 m인지 구해 보세요.

→ 주어진 것
→ 구하려는 것

🖉 구하려는 것, 주어진 것에 선을 그어 봅니다.

해결하기
예 (사각뿔의 모서리의 수)=(밑면의 변의 수)×2
=4×2=8(개)
(한 모서리의 길이)=(모든 모서리의 길이의 합)÷(모서리의 수)
=17.2÷8=2.15 (m)

답 구하기 **2.15 m**

3. 소수의 나눗셈 · 31

PLAY 사고력 개념 스토리 | 시계 찾기

잃어버린 시계를 찾으려고 합니다. 시계 주인의 말을 보고 그 시계의 시각을 나타내는 붙임딱지를 붙여 시계를 찾아 주세요. (단, 지금 정확한 시각은 오전 10시입니다.)

내 시계는 일주일에 10.5분씩 빨라지는 시계예요. 4일 전 오전 10시에 정확한 시각으로 맞추어 놓았어요.

❖ (하루에 빨라지는 시간)＝10.5÷7＝1.5(분)
(4일에 빨라지는 시간)＝1.5×4＝6(분)
➡ 10시 6분

내 시계는 일주일에 12.6분씩 빨라지는 시계예요. 3일 전 오전 10시에 정확한 시각으로 맞추어 놓았어요.

❖ (하루에 빨라지는 시간)＝12.6÷7＝1.8(분)
(3일에 빨라지는 시간)＝1.8×3＝5.4(분)
$5.4분=5\frac{4}{10}분=5\frac{24}{60}분=5분 24초$
➡ 10시 5분 24초

민원 창구

내 시계는 2주일에 26.6분씩 빨라지는 시계예요. 3일 전 오전 10시에 정확한 시각으로 맞추어 놓았어요.

❖ (하루에 빨라지는 시간)＝26.6÷14＝1.9(분)
(3일에 빨라지는 시간)＝1.9×3＝5.7(분)
$5.7분=5\frac{7}{10}분=5\frac{42}{60}분=5분 42초$
➡ 10시 5분 42초

내 시계는 2주일에 18.2분씩 빨라지는 시계예요, 5일 전 오전 10시에 정확한 시각으로 맞추어 놓았어요.

❖ (하루에 빨라지는 시간)＝18.2÷14＝1.3(분)
(5일에 빨라지는 시간)＝1.3×5＝6.5(분)
$6.5분=6\frac{5}{10}분=6\frac{30}{60}분=6분 30초$
➡ 10시 6분 30초

2주 사고력

PLAY 사고력 개념 스토리 | 도로 완성하기

각각의 탈 것이 달린 거리가 써 있는 붙임딱지를 붙여 도로를 완성해 보세요.
(단, 각각의 탈 것의 빠르기는 각각 일정합니다.)

3분 동안 6.9 km를 가는 자동차가 20분 동안 간 거리

5분 동안 12.5 km를 가는 자동차가 30분 동안 간 거리

12분 동안 7.68 km를 가는 오토바이가 30분 동안 간 거리

15분 동안 13.8 km를 가는 오토바이가 25분 동안 간 거리

46 km　　**75 km**　　**19.2 km**　　**23 km**

❖ (1분 동안 간 거리)＝6.9÷3＝2.3(km)
➡ 2.3×20＝46(km)

❖ (1분 동안 간 거리)＝12.5÷5＝2.5(km)
➡ 2.5×30＝75(km)

❖ (1분 동안 간 거리)＝7.68÷12＝0.64(km)
➡ 0.64×30＝19.2(km)

❖ (1분 동안 간 거리)＝13.8÷15＝0.92(km)
➡ 0.92×25＝23(km)

9분 동안 23.4 km를 가는 버스가 15분 동안 간 거리

7분 동안 19.6 km를 가는 버스가 25분 동안 간 거리

8분 동안 25.6 km를 가는 자동차가 20분 간 거리

6분 동안 14.4 km를 가는 버스가 15분 동안 간 거리

39 km　　**70 km**　　**64 km**　　**36 km**

❖ (1분 동안 간 거리)＝23.4÷9＝2.6(km)
➡ 2.6×15＝39(km)

❖ (1분 동안 간 거리)＝19.6÷7＝2.8(km)
➡ 2.8×25＝70(km)

❖ (1분 동안 간 거리)＝25.6÷8＝3.2(km)
➡ 3.2×20＝64(km)

❖ (1분 동안 간 거리)＝14.4÷6＝2.4(km)
➡ 2.4×15＝36(km)

2주 사고력

① 단계 교과 사고력 잡기

정답과 풀이 p.9

1 지호네 모둠 학생들이 멀리뛰기를 한 결과입니다. 기록이 가장 좋은 학생이 뛴 거리는 두 번째로 좋은 학생이 뛴 거리의 몇 배인지 구해 보세요.

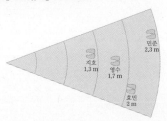

① 설명을 바르게 한 학생을 찾아 이름을 써 보세요.

> 지호: 멀리 뛴 거리가 길수록 기록이 좋은 거야.
> 영수: 멀리 뛴 거리가 짧을수록 기록이 좋은 거야.

(**지호**)

❖ 멀리 뛴 거리가 길수록 기록이 좋은 것입니다.

② 기록이 가장 좋은 학생은 누구이고, 몇 m를 뛰었는지 차례로 써 보세요.

(**민준**), (**2.3 m**)

❖ 멀리 뛴 거리가 가장 긴 학생은 민준이이고, 2.3 m를 뛰었습니다.

③ 기록이 두 번째로 좋은 학생은 누구이고, 몇 m를 뛰었는지 차례로 써 보세요.

(**효민**), (**2 m**)

❖ 멀리 뛴 거리가 두 번째로 긴 학생은 효민이이고, 2 m를 뛰었습니다.

④ 기록이 가장 좋은 학생이 뛴 거리는 두 번째로 좋은 학생이 뛴 거리의 몇 배인지 구해 보세요.

(**1.15배**)

❖ $2.3 \div 2 = 1.15$ (배)

2 수정이네 가족은 다운로드 속도가 가장 빠른 통신회사를 고르려고 합니다. 다음 중 어느 통신회사를 골라야 하는지 찾아보세요. (단, 1초에 받는 파일 용량은 각각 일정합니다.)

회사 이름	파일 용량	다운로드 시간
엄청 빨라	40.8 MB	6초
진짜 빨라	25.26 MB	3초
너무 빨라	36.75 MB	5초

① 엄청 빨라 회사를 이용했을 때 1초에 받을 수 있는 파일 용량은 몇 MB인지 구해 보세요.

(**6.8 MB**)

❖ $40.8 \div 6 = 6.8$ (MB)

② 진짜 빨라 회사를 이용했을 때 1초에 받을 수 있는 파일 용량은 몇 MB인지 구해 보세요.

(**8.42 MB**)

❖ $25.26 \div 3 = 8.42$ (MB)

③ 너무 빨라 회사를 이용했을 때 1초에 받을 수 있는 파일 용량은 몇 MB인지 구해 보세요.

(**7.35 MB**)

❖ $36.75 \div 5 = 7.35$ (MB)

④ 수정이네 가족이 골라야 할 회사를 찾아 써 보세요.

(**진짜 빨라**)

❖ 1초에 받을 수 있는 파일 용량을 비교하면 $8.42 > 7.35 > 6.8$ 이므로 진짜 빨라 회사가 가장 큽니다.
따라서 진짜 빨라 회사를 골라야 합니다.

2주 사고력

---

① 단계 교과 사고력 잡기

정답과 풀이 p.9

3 각각 일정한 빠르기로 달리는 자동차와 버스가 같은 곳에서 반대 방향으로 동시에 출발한다면 30분 후에 자동차와 버스 사이의 거리는 몇 km가 되는지 구해 보세요.

> 9분 동안 19.8 km를 갑니다.
> 출발
> 7분 동안 11.9 km를 갑니다.

① 자동차가 1분 동안 가는 거리는 몇 km인지 구해 보세요.

(**2.2 km**)

❖ $19.8 \div 9 = 2.2$ (km)

② 버스가 1분 동안 가는 거리는 몇 km인지 구해 보세요.

(**1.7 km**)

❖ $11.9 \div 7 = 1.7$ (km)

③ 자동차와 버스 사이의 거리는 출발한지 1분 후에 몇 km가 되는지 구해 보세요.

(**3.9 km**)

❖ $2.2 + 1.7 = 3.9$ (km)

④ 자동차와 버스 사이의 거리는 출발한지 30분 후에 몇 km가 되는지 구해 보세요.

(**117 km**)

❖ $3.9 \times 30 = 117$ (km)

4 일주일에 2.45분씩 늦어지는 시계가 있습니다. 영호는 6월 5일 오전 10시에 이 시계를 정확한 시각으로 맞추어 놓았습니다. 6월 9일 오전 10시에 이 시계가 가리키는 시각을 시계에 나타내려고 합니다. 물음에 답하세요.

 6월 5일   6월 9일

① 이 시계는 하루에 몇 분씩 늦어지는지 구해 보세요.

(**0.35분**)

❖ 일주일은 7일이므로 하루에 $2.45 \div 7 = 0.35$ (분)씩 늦어집니다.

② 이 시계는 6월 5일 오전 10시에서 6월 9일 오전 10시까지 몇 분 늦어지는지 구해 보세요.

(**1.4분**)

❖ 6월 5일 오전 10시에서 6월 9일 오전 10시까지 4일이 지났으므로 $0.35 \times 4 = 1.4$ (분) 늦어집니다.

③ 6월 9일 오전 10시에 이 시계가 가리키는 시각을 구해 보세요.

오전 (**9시 58분 36초**)

❖ $1.4분 = 1\frac{4}{10}분 = 1\frac{24}{60}$분이므로 1분 24초입니다.
따라서 1분 24초 늦어지므로 오전 10시의 1분 24초 전인 오전 9시 58분 36초입니다.

④ 6월 9일 오전 10시에 이 시계가 가리키는 시각을 시계에 나타내어 보세요.

❖ 9시 58분 36초를 나타내도록 합니다.

2주 사고력

2단계 교과 사고력 확장

정답과 풀이 p.10

1 사다리를 타고 내려가서 도착한 곳과 아래 빈 곳에 나눗셈의 몫을 각각 소수로 써 보세요.

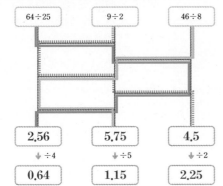

| 64÷25 | 9÷2 | 46÷8 |

2.56	5.75	4.5
↓÷4	↓÷5	↓÷2
0.64	1.15	2.25

❖ 64÷25=2.56, 2.56÷4=0.64 /
9÷2=4.5, 4.5÷2=2.25 /
46÷8=5.75, 5.75÷5=1.15

2 1부터 9까지의 자연수 중 다음 식을 만족하는 ●, ▲, ■, ★을 각각 구해 보세요. (단, 같은 모양은 같은 수를 나타냅니다.)

❶
```
    0.▲
5) ●.■
   ●
   ■
   ■
   0
```

❷
```
    0.★
9) ■.★
   ■
   ★
   ★
   0
```

●(2)   ■(4)
▲(5)   ★(5)

❖ 1부터 9까지의 수 중
5×▲=●▲를 만족하는 것은
5×5=25입니다.
➡ ●=2, ▲=5

❖ 1부터 9까지의 수 중
9×★=■★을 만족하는 것은
9×5=45입니다.
➡ ■=4, ★=5

3 수직선에서 7.7과 50 사이를 6등분 하였습니다. ㉠에 알맞은 수를 구해 보세요.

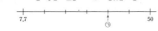

| 7.7 | ㉠ | 50 |

❶ 7.7과 50 사이의 크기를 구해 보세요.

(42.3)

❖ 50−7.7=42.3

❷ 눈금 한 칸의 크기를 구해 보세요.

(7.05)

❖ 42.3÷6=7.05

❸ 7.7과 ㉠ 사이의 크기를 구해 보세요.

(28.2)

❖ 7.05×4=28.2

❹ ㉠에 알맞은 수를 구해 보세요.

(35.9)

❖ 7.7+28.2=35.9

4 수직선에서 16.55와 21.5 사이를 5등분 하였습니다. ㉠에 알맞은 수를 구해 보세요.

| 16.55 | ㉠ | 21.5 |

(18.53)

❖ (16.55와 21.5 사이의 크기)=21.5−16.55=4.95,
(눈금 한 칸의 크기)=4.95÷5=0.99,
(16.55와 ㉠ 사이의 크기)=0.99×2=1.98,
㉠=16.55+1.98=18.53

2단계 교과 사고력 확장

정답과 풀이 p.10

5 기호 ◉에 대하여 '가 ◉ 나=(가+나)÷가'라고 약속할 때 다음을 계산해 보세요.

❶ 3◉6.75

(3.25)

❖ 3◉6.75=(3+6.75)÷3=9.75÷3=3.25

❷ 16◉30.4

(2.9)

❖ 16◉30.4=(16+30.4)÷16=46.4÷16=2.9

6 기호 ◈에 대하여 '가 ◈ 나=(가÷나)+(나÷가)'라고 약속할 때 다음을 계산해 보세요.

❶ 5◈8

(2.225)

❖ 5◈8=(5÷8)+(8÷5)=0.625+1.6=2.225

❷ 25◈20

(2.05)

❖ 25◈20=(25÷20)+(20÷25)=1.25+0.8=2.05

7 규칙을 찾아 ★에 알맞은 수를 구해 보세요.

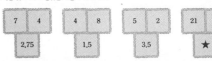

| 7 | 4 | | 4 | 8 | | 5 | 2 | | 21 | 6 |
| 2.75 | | 1.5 | | 3.5 | | ★ |

❶ 규칙을 찾아 써 보세요.

규칙 예) 위의 두 수를 더한 후 오른쪽 수로 나눈 몫을 쓰는 규칙입니다.

❖ (7+4)÷4=11÷4=2.75, (4+8)÷8=12÷8=1.5,
(5+2)÷2=7÷2=3.5

❷ ★에 알맞은 수를 구해 보세요.

(4.5)

❖ (21+6)÷6=27÷6=4.5

8 규칙을 찾아 ♥에 알맞은 수를 구해 보세요.

| 4 | | 5 | | 8 | | 2 |
| 3 | 4.5 | 6 | | 4 | 5.6 | 7 | | 5 | 2.5 | 4 | | 9 | ♥ | 5 |

❶ 규칙을 찾아 써 보세요.

규칙 예) 아랫줄 양쪽 끝의 두 수의 곱을 윗줄의 수로 나눈 몫을 쓰는 규칙입니다.

❖ 3×6=18 → 18÷4=4.5, 4×7=28 → 28÷5=5.6,
5×4=20 → 20÷8=2.5

❷ ♥에 알맞은 수를 구해 보세요.

(22.5)

❖ 9×5=45 → 45÷2=22.5

③ 단계 교과 사고력 완성

정답과 풀이 p.11

1 창의·융합 □개념 이해력 □개념 응용력 □창의력 ☑문제 해결력

태극기에서 태극 무늬의 지름은 태극기 세로의 반이고 괘의 길이는 태극 무늬 지름의 반입니다. 태극기의 세로가 31 cm일 때 괘의 길이는 몇 cm인지 소수로 나타내어 보세요.

(**7.75 cm**)

✧ (태극 무늬의 지름)=31÷2=15.5 (cm)
(괘의 길이)=15.5÷2=7.75 (cm)

2 창의·융합 □개념 이해력 □개념 응용력 ☑창의력 □문제 해결력

마주 보는 두 면의 눈의 수의 합이 7인 정육면체 모양의 주사위 4개를 던졌더니 위에 보이는 면이 다음과 같았습니다. 주사위 4개의 밑에 놓인 면의 눈의 수를 한 번씩 모두 사용하여 계산 결과가 가장 큰 (두 자리 수)÷(두 자리 수)를 만들고 계산 결과를 소수로 나타내어 보세요.

⚀⚁ ⚂⚅ → ⑤ ④ ÷ ① ② = **4.5**

✧ 밑에 놓인 면의 눈의 수는 왼쪽부터 차례로 4, 1, 2, 5입니다. 나누어지는 수에는 가장 큰 두 자리 수를 놓고, 나누는 수에는 가장 작은 두 자리 수를 놓습니다.
5>4>2>1이므로 만들 수 있는 가장 큰 두 자리 수는 54이고 가장 작은 두 자리 수는 12입니다.
따라서 54÷12=4.5입니다.

---

3 창의·융합 □개념 이해력 □개념 응용력 ☑창의력 □문제 해결력

지구의 반지름을 1이라고 보았을 때의 태양과 각 행성의 반지름을 나타낸 것입니다. 천왕성의 반지름을 1이라고 본다면 목성의 반지름은 얼마인지 구해 보세요.

수성 금성 지구 화성 목성 토성 천왕성 해왕성

행성	반지름	행성	반지름	행성	반지름
태양	109	지구	1	토성	9.4
수성	0.4	화성	0.5	천왕성	4
금성	0.9	목성	11.2	해왕성	3.9

(**2.8**)

✧ 지구의 반지름을 1이라고 보았을 때 천왕성의 반지름이 4이므로 천왕성의 반지름을 1이라고 본다면 목성의 반지름을 4로 나누어야 합니다.
(목성의 반지름)=11.2÷4=2.8

4 창의·융합 □개념 이해력 □개념 응용력 □창의력 ☑문제 해결력

다음 조건을 만족하는 수 중 가장 작은 수를 구해 보세요.

> 조건
> • 나는 40보다 큰 소수 두 자리 수입니다.
> • 나를 11로 나누었을 때의 몫은 소수 두 자리 수입니다.

(**40.04**)

✧ 나는 40보다 큰 소수 두 자리 수이므로 나를 11로 나눈 몫은 40을 11로 나눈 몫보다 커야 합니다.
40÷11=3.636……이므로 나를 11로 나누었을 때의 몫이 될 수 있는 가장 작은 소수 두 자리 수는 3.64입니다.
따라서 □÷11=3.64, □=3.64×11=40.04입니다.

Test 종합평가   3. 소수의 나눗셈

맞은 개수

정답과 풀이 p.11

1 소수의 나눗셈을 분수의 나눗셈으로 바꾸어 계산하려고 합니다. □ 안에 알맞은 수를 써넣으세요.

(1) $5.36÷4=\dfrac{536}{100}÷4=\dfrac{536÷4}{100}=\dfrac{134}{100}=$ **1.34**

(2) $8.16÷2=\dfrac{816}{100}÷2=\dfrac{816÷2}{100}=\dfrac{408}{100}=$ **4.08**

✧ 소수 두 자리 수는 분모가 100인 분수로 바꾸어 계산합니다.

2 계산 결과를 찾아 선으로 이어 보세요.

46÷8 ──── 3.75
90÷24 ──── 4.75
              5.75

✧ 46÷8=5.75, 90÷24=3.75

3 잘못 계산한 부분을 찾아 바르게 계산해 보세요.

✧ 몫의 소수 첫째 자리 계산에서 7은 12보다 작으므로 몫의 소수 첫째 자리에 0을 쓰고 2를 내려 계산해야 합니다.

---

4 몫을 어림하여 알맞은 식을 찾아 ○표 하세요.

(1) 21.36÷4=534 (　)   (2) 97.8÷3=326 (　)
　　21.36÷4=53.4 (　)   　 97.8÷3=32.6 (○)
　　21.36÷4=5.34 (○)   97.8÷3=3.26 (　)
　　21.36÷4=0.534 (　)   97.8÷3=0.326 (　)

✧ (1) 21.36÷4에서 21.36을 소수 첫째 자리에서 반올림하면 21입니다. 21÷4의 몫은 5보다 크고 6보다 작으므로 21.36÷4=5.34가 답이 됩니다.

✧ (2) 97.8÷3에서 97.8을 소수 첫째 자리에서 반올림하면 98입니다. 98÷3의 몫은 32보다 크고 33보다 작으므로 97.8÷3=32.6이 답이 됩니다.

5 어림셈하여 몫의 소수점 위치를 찾으려고 합니다. □ 안에 알맞은 수를 써넣고 소수점을 찍어 보세요.

(1) 17.2÷8
예 17 ÷ 8 → 약 2 ➡ 2 ⑪ 1 ⑤

(2) 81.6÷6
예 82 ÷ 6 → 약 13 ➡ 1 ⑪ 3 ⑥

✧ (1) 17.2를 소수 첫째 자리에서 반올림하면 17입니다. 17÷8의 몫은 2보다 크고 3보다 작으므로 17.2÷8=2.15가 답이 됩니다.

(2) 81.6을 소수 첫째 자리에서 반올림하면 82입니다. 82÷6의 몫은 13보다 크고 14보다 작으므로 81.6÷6=13.6이 답이 됩니다.

6 계산 결과를 비교하여 ○ 안에 >, =, <를 알맞게 써넣으세요.

(1) 50.4÷7 (>) 42.3÷6   (2) 9.2÷8 (<) 7.8÷4

✧ (1) 50.4÷7=7.2,   ✧ (2) 9.2÷8=1.15,
42.3÷6=7.05   7.8÷4=1.95
➡ 7.2>7.05   ➡ 1.15<1.95

Test 종합평가 3. 소수의 나눗셈

정답과 풀이 p.12

7 가장 큰 수를 가장 작은 수로 나눈 몫을 구해 보세요.

| 9 | 24.5 | 8 | 32.4 |

(**4.05**)

❖ 32.4 > 24.5 > 9 > 8이므로 32.4 ÷ 8 = 4.05입니다.

8 오른쪽 정삼각형의 둘레는 24.48 cm입니다. 정삼각형의 한 변의 길이는 몇 cm인지 구해 보세요.

(**8.16 cm**)

❖ 정삼각형은 세 변의 길이가 같습니다.
→ 24.48 ÷ 3 = 8.16 (cm)

9 □ 안에 알맞은 수를 써넣으세요.

$\boxed{3.48} \times 15 = 52.2$

❖ □ = 52.2 ÷ 15 = 3.48

10 □ 안에 들어갈 수 있는 자연수 중 가장 큰 수를 구해 보세요.

$\boxed{74.7 \div 9 > \square}$

(**8**)

❖ 74.7 ÷ 9 = 8.3이므로 8.3 > □입니다.
따라서 □ 안에 들어갈 수 있는 자연수 중 가장 큰 수는 8입니다.

11 5000원으로 리본을 36.4 m 살 수 있습니다. 1000원으로 리본을 몇 m 살 수 있는지 구해 보세요.

(**7.28 m**)

❖ 36.4 ÷ 5 = 7.28 (m)

12 높이가 12 cm이고 넓이가 219.6 cm²인 평행사변형의 밑변의 길이는 몇 cm인지 구해 보세요.

(**18.3 cm**)

❖ 밑변의 길이를 □ cm라 하면 □ × 12 = 219.6입니다.
→ □ = 219.6 ÷ 12 = 18.3

13 가로가 14.4 m인 텃밭에 토마토 모종 16개를 같은 간격으로 그림과 같이 심으려고 합니다. 모종 사이의 간격은 몇 m로 해야 하는지 구해 보세요. (단, 모종의 굵기는 생각하지 않습니다.)

(**0.96 m**)

❖ (모종 사이의 간격의 수) = 16 - 1 = 15 (군데)
(모종 사이의 간격) = 14.4 ÷ 15 = 0.96 (m)

Test 종합평가 3. 소수의 나눗셈

정답과 풀이 p.12

14 어떤 수를 4로 나누어야 할 것을 잘못하여 4를 곱했더니 14.72가 되었습니다. 바르게 계산한 몫을 구해 보세요.

(**0.92**)

❖ 어떤 수를 □라 하면 □ × 4 = 14.72입니다.
→ □ = 14.72 ÷ 4 = 3.68
따라서 바르게 계산하면 3.68 ÷ 4 = 0.92입니다.

15 수 카드 4장을 한 번씩 모두 사용하여 계산 결과가 가장 큰 (소수 한 자리 수) ÷ (한 자리 수)를 만들고 계산해 보세요.

$\boxed{3}$ $\boxed{6}$ $\boxed{8}$ $\boxed{4}$ → $\boxed{8\,6.4} \div \boxed{3}$

(**28.8**)

❖ 나누어지는 수에는 가장 큰 소수 한 자리 수를 놓고, 나누는 수에는 남은 수 카드의 수를 놓습니다.
8 > 6 > 4 > 3이므로 만들 수 있는 가장 큰 소수 한 자리 수는 86.4입니다.
따라서 86.4 ÷ 3 = 28.8입니다.

16 윗변과 아랫변의 길이가 각각 10.6 cm, 13.4 cm이고 넓이가 86.4 cm²인 사다리꼴의 높이는 몇 cm인지 구해 보세요.

(**7.2 cm**)

❖ 높이를 □ cm라 하면 (10.6 + 13.4) × □ ÷ 2 = 86.4입니다.
→ 24 × □ ÷ 2 = 86.4, 24 × □ = 172.8, □ = 7.2

특강 창의·융합 사고력

정답과 풀이 p.12

1 진주네 가게에서 포도 주스는 병 5개에, 딸기 주스는 병 6개에, 오렌지 주스는 병 4개에 남김없이 똑같이 나누어 담아서 팔고 있습니다. 나누어 담는 병의 모양과 크기가 같다면 가, 나, 다 중 어느 병에 주스가 가장 많은지 구해 보세요.

포도 주스   딸기 주스   오렌지 주스

(**병 다**)

❖ 포도 주스: 10.35 ÷ 5 = 2.07 (L), 딸기 주스: 12.84 ÷ 6 = 2.14 (L), 오렌지 주스: 10 ÷ 4 = 2.5 (L)
→ 2.5 > 2.14 > 2.07이므로 병 다에 주스가 가장 많습니다.

2 다음과 같이 가로가 7.9 m인 벽에 한 변의 길이가 1.2 m인 정사각형 모양의 창문을 같은 간격으로 4개 만들려고 합니다. 창문과 창문 사이의 간격을 몇 m로 해야 하는지 구해 보세요.

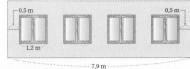

(**0.7 m**)

❖ (창문 사이의 간격의 합) = 7.9 - 0.5 × 2 - 1.2 × 4
= 7.9 - 1 - 4.8 = 2.1 (m)
(창문 사이의 간격의 수) = 4 - 1 = 3 (군데)
(창문 사이의 간격) = 2.1 ÷ 3 = 0.7 (m)

4 비와 비율

비가 사용되는 경우

두 양의 크기를 뺄셈 또는 나눗셈으로 비교해 봄으로써 두 양의 관계를 이해하고 이를 통해 기호(:)를 사용하여 비로 나타낼 수 있습니다. 실생활에서 비가 사용되는 경우를 알아볼까요?

☆ 스포츠 경기의 득점 결과
2018년 자카르타-팔렘방에서 제18회 아시안게임이 열렸습니다. 다음은 대한민국 남자 축구 대표팀의 경기 결과를 나타낸 표입니다.

경기	날짜	결과	
조별 리그 1차전	2018년 8월 15일	대한민국 🇰🇷 6─0	바레인
조별 리그 2차전	2018년 8월 17일	대한민국 🇰🇷 1─2	말레이시아
조별 리그 3차전	2018년 8월 20일	대한민국 🇰🇷 1─0	키르기스스탄
16강전	2018년 8월 23일	대한민국 🇰🇷 2─0	이란
8강전	2018년 8월 27일	대한민국 🇰🇷 4─3	우즈베키스탄
4강전	2018년 8월 29일	대한민국 🇰🇷 3─1	베트남
결승전	2018년 9월 1일	대한민국 🇰🇷 2─1	일본

▲ 출처 KFA(대한축구협회)

대한민국 남자 축구 대표팀은 총 7번 경기를 하여 그중 1번을 졌지만 나머지 경기들을 모두 이기고 우승을 차지하였습니다.

☆ 비
비는 기호 :을 사용하여 나타냅니다.
두 수 2와 1을 비교할 때 2 : 1이라 쓰고 2 대 1이라고 읽습니다.
2 : 1은 "2와 1의 비", "2의 1에 대한 비", "1에 대한 2의 비"라고도 읽습니다.

> 기호 :의 오른쪽에 있는 수가 기준이에요.

2018년 제18회 자카르타-팔렘방 아시안게임 남자 축구 4강전의 결과를 대한민국과 베트남에서 각각 방송한 TV 화면입니다. 물음에 답하세요.

❶ 두 나라의 TV 화면에서 빈 곳에 알맞은 국기 붙임딱지를 붙여 보세요.

❷ 비에 맞게 알맞은 수나 말에 ○표 하세요.

3 : 1은 기준이 (3 ①1)이지만, 1 : 3은 기준이 (1 ③3)이므로
3 : 1과 1 : 3은 (같습니다 , 다릅니다).

2018년 제18회 자카르타-팔렘방 아시안게임 대한민국 남자 축구 각 경기에서 진 나라가 얻은 점수에 대한 이긴 나라가 얻은 점수의 비를 구해 보세요.

❶ 조별 리그 1차전 ➡ 6 : 0   ❷ 조별 리그 2차전 ➡ 2 : 1
❸ 8강전 ➡ 4 : 3   ❹ 결승전 ➡ 2 : 1

1단계 교과서 개념 잡기

개념 1 두 수를 비교하기
• 두 양의 크기 비교하기

① 뺄셈으로 비교
(참외 수)─(귤 수)=6─2=4
➡ 참외는 귤보다 4개 더 많습니다.
귤은 참외보다 4개 더 적습니다.

② 나눗셈으로 비교
(참외 수)÷(귤 수)=6÷2=3
➡ 참외 수는 귤 수의 3배입니다.
(귤 수)÷(참외 수)=2÷6
$=\frac{2}{6}=\frac{1}{3}$
➡ 귤 수는 참외 수의 $\frac{1}{3}$배입니다.

• 변하는 두 양의 관계 알아보기
학생들에게 사탕 6개와 쿠키 2개씩 주려고 합니다.

학생 수(명)	1	2	3	……
사탕 수(개)	6	12	18	……
쿠키 수(개)	2	4	6	……

① 뺄셈으로 비교
1명: (사탕 수)─(쿠키 수)=6─2=4
2명: (사탕 수)─(쿠키 수)=12─4=8
3명: (사탕 수)─(쿠키 수)=18─6=12
➡ 학생 수에 따라 사탕은 쿠키보다
4개, 8개, 12개…… 더 많습니다.

② 나눗셈으로 비교
1명: (사탕 수)÷(쿠키 수)=6÷2=3
2명: (사탕 수)÷(쿠키 수)=12÷4=3
3명: (사탕 수)÷(쿠키 수)=18÷6=3
➡ 사탕 수는 항상 쿠키 수의 3배입니다.

> 뺄셈으로 비교하는 경우 두 수의 관계가 변하지만 나눗셈으로 비교하는 경우 두 수의 관계는 변하지 않습니다.

개념 2 비를 알아보기
• 비: 두 수를 나눗셈으로 비교하기 위해 기호 :을 사용하여 나타낸 것
• 두 수 4와 3을 비교

4 : 3
┌ 4 대 3
├ 4와 3의 비
├ 4의 3에 대한 비
└ 3에 대한 4의 비

■ 대 ▲
■ : ▲ ┌ ■와 ▲의 비
├ ■의 ▲에 대한 비
└ ▲에 대한 ■의 비

개념 확인 문제

정답과 풀이 p.13

1 파란 구슬 수와 빨간 구슬 수를 뺄셈과 나눗셈으로 비교하려고 합니다. □ 안에 알맞은 수를 써넣으세요.

(1) 빨간 구슬은 파란 구슬보다 6 개 더 많습니다.
(2) 빨간 구슬 수는 파란 구슬 수의 3 배입니다.

❖ 파란 구슬은 3개이고 빨간 구슬은 9개입니다.
(1) (빨간 구슬 수)─(파란 구슬 수)=9─3=6(개)
(2) (빨간 구슬 수)÷(파란 구슬 수)=9÷3=3(배)

2-1 비를 보고 □ 안에 알맞은 수를 써넣으세요.

(1) 5 : 9
┌ 5 대 9
├ 5와 9의 비
├ 5의 9에 대한 비
└ 9에 대한 5의 비

(2) 7 : 6
┌ 7 대 6
├ 7과 6의 비
├ 7의 6에 대한 비
└ 6에 대한 7의 비

❖
┌ ■ 대 ▲
■ : ▲ ├ ■와 ▲의 비
├ ■의 ▲에 대한 비
└ ▲에 대한 ■의 비

2-2 전체에 대한 색칠한 부분의 비를 써 보세요.

(1)
(5 : 8)

(2)
(3 : 10)

❖ (1) 전체 8칸 중 5칸이 색칠되어 있습니다.
(2) 전체 10칸 중 3칸이 색칠되어 있습니다.

3주 교과서

1단계 교과서 개념 잡기

개념 3 비율을 알아보기

• 기준량, 비교하는 양

$1 : 5$

기준량 → 기호 : 의 오른쪽에 있는 5
비교하는 양 → 기호 : 의 왼쪽에 있는 1

• 비율: 기준량에 대한 비교하는 양의 크기

$$(비율) = (비교하는 양) \div (기준량) = \frac{(비교하는 양)}{(기준량)}$$

비	비교하는 양	기준량	비율
$3:10$	3	10	$\frac{3}{10}$ 또는 0.3

개념 4 비율이 사용되는 경우를 알아보기

▼ 출처 ©PixMarket, shutterstock

걸린 시간에 대한 간 거리의 비율
→ $(비율) = \frac{(간\ 거리)}{(걸린\ 시간)}$

넓이에 대한 인구의 비율
→ $(비율) = \frac{(인구)}{(넓이)}$

흰색 물감 양에 대한 검은색 물감 양의 비율
→ $(비율) = \frac{(검은색\ 물감\ 양)}{(흰색\ 물감\ 양)}$

야구 선수의 타율
→ $(타율) = \frac{(안타\ 수)}{(전체\ 타수)}$

지도의 축척
→ $(축척) = \frac{(지도에서의\ 거리)}{(실제\ 거리)}$

소금물의 진하기
→ $(진하기) = \frac{(소금\ 양)}{(소금물\ 양)}$

A에 대한 B의 비 → B : A → $(비율) = \frac{B}{A}$

56 · Run - B 6-1

개념 확인 문제

정답과 풀이 p.14

3 비를 보고 □ 안에 알맞은 수를 써넣으세요.

$2 : 5$ →
비교하는 양: $\boxed{2}$
기준량: $\boxed{5}$
→ $(비율) = \frac{\boxed{2}}{\boxed{5}} = \frac{\boxed{4}}{10} = \boxed{0.4}$

4-1 어느 지역의 인구와 넓이를 조사한 표입니다. 이 지역의 넓이에 대한 인구의 비율을 구하려고 합니다. □ 안에 알맞은 수를 써넣으세요.

인구(명)	넓이(km²)
32000	80

→ $\frac{(인구)}{(넓이)} = \frac{\boxed{32000}}{\boxed{80}} = \boxed{400}$

4-2 걸린 시간에 대한 간 거리의 비율을 구해 보세요.

150 km를 가는 데 2시간이 걸렸네.

$\left(\frac{150}{2} (=75) \right)$

❖ 걸린 시간에 대한 간 거리의 비율 → $\frac{(간\ 거리)}{(걸린\ 시간)} = \frac{150}{2} = 75$

4-3 어떤 야구 선수가 20타수를 기록하는 동안 안타를 6번 쳤습니다. 전체 타수에 대한 안타 수의 비율을 구해 보세요.

$\frac{6}{20} \left(= \frac{3}{10} = 0.3 \right)$

❖ 전체 타수는 20번이고 안타 수는 6번입니다.

전체 타수에 대한 안타 수의 비율 → $\frac{(안타\ 수)}{(전체\ 타수)} = \frac{6}{20} = \frac{3}{10} = 0.3$

4. 비와 비율 · 57

1단계 교과서 개념 잡기

개념 5 백분율을 알아보기

• 백분율: 기준량을 100으로 할 때의 비율
→ 기호 %를 사용하여 나타냅니다.

예 비율 $\frac{73}{100}$
읽기 73 %
쓰기 73 퍼센트

$\frac{색칠한\ 칸\ 수}{전체\ 칸\ 수} = \frac{1}{100} = 1\%$ 　 $\frac{20}{100} = 20\%$ 　 $\frac{73}{100} = 73\%$

개념 6 비율을 백분율로 나타내기

방법1 기준량이 100인 비율로 고친 후 백분율로 나타내기

• 분수를 백분율로 나타내기

$\boxed{\frac{1}{4}}$ → $\frac{1}{4} = \frac{1 \times 25}{4 \times 25} = \frac{25}{100}$ → 25 %

• 소수를 백분율로 나타내기

$\boxed{0.7}$ → $0.7 = \frac{7}{10} = \frac{7 \times 10}{10 \times 10} = \frac{70}{100}$ → 70 %

방법2 비율에 100을 곱한 후 나온 값에 % 붙이기

• 분수를 백분율로 나타내기

$\boxed{\frac{1}{4}}$ → $\frac{1}{4} \times 100 = 25$ (%)

• 소수를 백분율로 나타내기

$\boxed{0.7}$ → $0.7 \times 100 = 70$ (%)

(백분율) = (비율) × 100

주의 백분율로 잘못 나타낸 경우

$0.7 = \frac{70}{10}\%$ 기준량이 100이 아니므로 잘못됨

$0.7 = \frac{70}{100}$ 기호 %를 붙이지 않아서 잘못됨

58 · Run - B 6-1

개념 확인 문제

정답과 풀이 p.14

5 그림을 보고 전체에 대한 색칠한 부분의 비율을 백분율로 나타내어 보세요.

(1) (9%)　(2) (44%)

❖ (1) $\frac{9}{100}$ → 9 %　(2) $\frac{44}{100}$ → 44 %

6-1 비율을 백분율로 2가지 방법으로 나타내려고 합니다. □ 안에 알맞은 수를 써넣으세요.

(1) $\boxed{\frac{3}{25}}$

방법1 $\frac{3}{25} = \frac{3 \times \boxed{4}}{25 \times \boxed{4}} = \frac{\boxed{12}}{100}$ → $\boxed{12}$ %

방법2 $\frac{3}{25} \times \boxed{100} = \boxed{12}$ (%)

(2) $\boxed{0.6}$

방법1 $0.6 = \frac{\boxed{6}}{10} = \frac{\boxed{6} \times 10}{10 \times 10} = \frac{\boxed{60}}{100}$ → $\boxed{60}$ %

방법2 $0.6 \times \boxed{100} = \boxed{60}$ (%)

❖ 방법1 기준량이 100인 비율로 고친 후 백분율로 나타냅니다.
방법2 비율에 100을 곱한 후 나온 값에 %를 붙입니다.

6-2 관계있는 것끼리 선으로 이어 보세요.

0.4		50 %
$\frac{1}{2}$		75 %
$\frac{3}{4}$		40 %

❖ $0.4 \times 100 = 40$ (%), $\frac{1}{2} \times 100 = 50$ (%),

$\frac{3}{4} \times 100 = 75$ (%)

4. 비와 비율 · 59

① 교과서 개념 잡기

개념 7 백분율이 사용되는 경우를 알아보기

· 할인율: 원래 가격에 대한 할인 금액의 비율

품목	원래 가격(원)	할인된 판매 가격(원)
공책	2000	1500

공책의 할인율을 구하기

(할인 금액)
=(원래 가격)−(할인된 판매 가격)
=2000−1500
=500(원)

(할인율)= $\dfrac{(할인 금액)}{(원래 가격)}$ ×100

= $\dfrac{500}{2000}$ ×100

=25(%)

할인 금액과 할인된 판매 금액을 헷갈려서 틀리는 경우가 많으므로 주의합니다.
참고 ■원짜리를 할인하여 ▲원에 판매하는 경우 할인율은? = ■−▲ / ■

· 득표율: 전체 투표수에 대한 해당 후보의 득표수의 비율

전체 투표수는 30+18+2 =50(표)입니다.

후보	현서	효영	무효표
득표수(표)	30	18	2

(현서의 득표율)= $\dfrac{(현서의 득표수)}{(전체 투표수)}$ ×100= $\dfrac{30}{50}$ ×100=60(%)

(효영이의 득표율)= $\dfrac{(효영이의 득표수)}{(전체 투표수)}$ ×100= $\dfrac{18}{50}$ ×100=36(%)

(무효표의 비율)= $\dfrac{(무효표 수)}{(전체 투표수)}$ ×100= $\dfrac{2}{50}$ ×100=4(%)

· 소금물의 진하기: 소금물 양에 대한 소금 양의 비율

소금 60 g을 녹여 소금물 300 g을 만들었습니다. 소금물의 진하기는 몇 %일까요?

(소금물의 진하기)= $\dfrac{(소금 양)}{(소금물 양)}$ ×100= $\dfrac{60}{300}$ ×100=20(%)

개념 확인 문제

정답과 풀이 p.15

7-1 표의 빈칸에 알맞은 수를 써넣고 모자와 가방의 할인율은 각각 몇 %인지 구해 보세요.

품목	원래 가격(원)	할인된 판매 가격(원)	할인 금액(원)
모자	3000	2700	**300**
가방	40000	32000	**8000**

· 모자: (할인 금액)=3000−2700=300(원)

모자 (10 %)

(할인율)= $\dfrac{300}{3000}$ ×100=10(%)

가방 (20 %)

가방: (할인 금액)=40000−32000=8000(원)

(할인율)= $\dfrac{8000}{40000}$ ×100=20(%)

7-2 전교 학생 회장 선거 투표 결과입니다. 나 후보의 득표율은 몇 %인지 구하려고 합니다. □ 안에 알맞은 수를 써넣으세요.

후보	가	나	무효표
득표수(표)	120	165	15

(전체 투표수)=120+ 165 + 15 = 300 (표)

(나 후보의 득표율)= $\dfrac{165}{300}$ ×100= 55 (%)

7-3 다음과 같이 소금물을 만들었습니다. 어느 컵에 들어 있는 소금물이 더 진한지 기호를 써 보세요.

소금 30 g을 녹여 소금물 150 g을 만든 컵 가 나 소금 50 g을 녹여 소금물 200 g을 만든 컵

(나)

· (가 컵에 들어 있는 소금물의 진하기)= $\dfrac{30}{150}$ ×100=20(%)

(나 컵에 들어 있는 소금물의 진하기)= $\dfrac{50}{200}$ ×100=25(%)

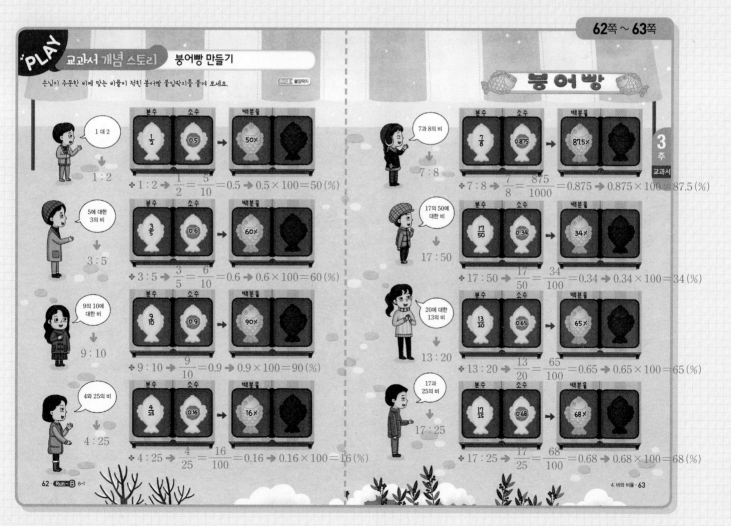

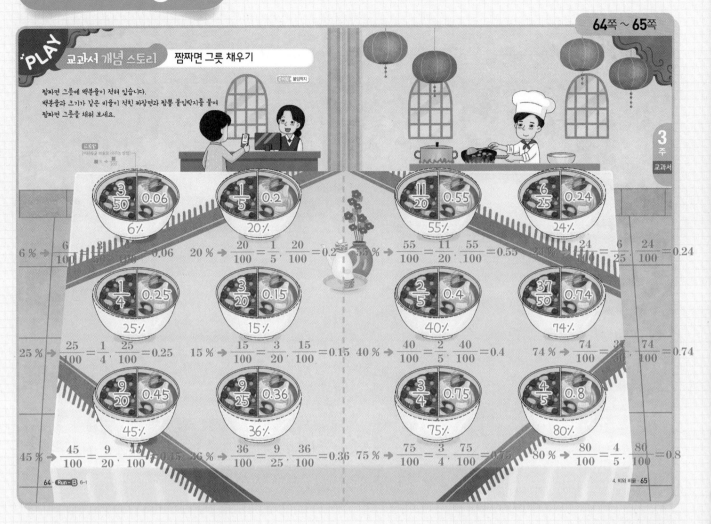

PLAY 교과서 개념 스토리　짬짜면 그릇 채우기

짬짜면 그릇에 백분율이 적혀 있습니다.
백분율과 크기가 같은 비율이 적힌 짜장면과 짬뽕 붙임딱지를 붙여
짬짜면 그릇을 채워 보세요.

$6\% \rightarrow \dfrac{6}{100} = \dfrac{3}{50}, \dfrac{6}{100} = 0.06$　　$20\% \rightarrow \dfrac{20}{100} = \dfrac{1}{5}, \dfrac{20}{100} = 0.2$　　$55\% \rightarrow \dfrac{55}{100} = \dfrac{11}{20}, \dfrac{55}{100} = 0.55$　　$24\% \rightarrow \dfrac{24}{100} = \dfrac{6}{25}, \dfrac{24}{100} = 0.24$

$25\% \rightarrow \dfrac{25}{100} = \dfrac{1}{4}, \dfrac{25}{100} = 0.25$　　$15\% \rightarrow \dfrac{15}{100} = \dfrac{3}{20}, \dfrac{15}{100} = 0.15$　　$40\% \rightarrow \dfrac{40}{100} = \dfrac{2}{5}, \dfrac{40}{100} = 0.4$　　$74\% \rightarrow \dfrac{74}{100} = \dfrac{37}{50}, \dfrac{74}{100} = 0.74$

$45\% \rightarrow \dfrac{45}{100} = \dfrac{9}{20}, \dfrac{45}{100} = 0.45$　　$36\% \rightarrow \dfrac{36}{100} = \dfrac{9}{25}, \dfrac{36}{100} = 0.36$　　$75\% \rightarrow \dfrac{75}{100} = \dfrac{3}{4}, \dfrac{75}{100} = 0.75$　　$80\% \rightarrow \dfrac{80}{100} = \dfrac{4}{5}, \dfrac{80}{100} = 0.8$

---

2 단계 교과서 개념 다지기

정답과 풀이 p.16

개념 1 두 수를 비교하기

01 올해 정우는 12살이고 동생은 6살입니다. 정우의 나이와 동생의 나이를 비교하려고 합니다.
□ 안에 알맞은 수를 써넣으세요.

뺄셈으로 비교	정우는 동생보다 $\boxed{12} - \boxed{6} = \boxed{6}$ (살) 더 많습니다.
나눗셈으로 비교	정우의 나이는 동생의 나이의 $\boxed{12} \div \boxed{6} = \boxed{2}$ (배)입니다.

❖ 뺄셈: (정우의 나이)−(동생의 나이)=12−6=6(살)
　　나눗셈: (정우의 나이)÷(동생의 나이)=12÷6=2(배)

02 감귤주스 잔 수와 키위주스 잔 수를 비교하려고 합니다. □ 안에 알맞은 수를 써넣으세요.

(1) 감귤주스는 키위주스보다 $\boxed{5}$ 잔 더 많습니다.

(2) 감귤주스 잔 수는 키위주스 잔 수의 $\boxed{2}$ 배입니다.

❖ (1) (감귤주스 잔 수)−(키위주스 잔 수)=10−5=5(잔)
　　(2) (감귤주스 잔 수)÷(키위주스 잔 수)=10÷5=2(배)

03 한 모둠에 색종이를 한 묶음씩 나누어 주었습니다. 한 모둠이 4명씩이고 색종이 한 묶음은 12장입니다. 모둠 수에 따른 모둠원 수와 색종이 수를 구해 표를 완성하고 맞으면 ○표, 틀리면 ✕표 하세요.

모둠 수	1	2	3	4	5
모둠원 수(명)	4	8	12	16	**20**
색종이 수(장)	12	24	36	**48**	**60**

(1) 색종이 수는 항상 모둠원 수보다 8만큼 더 큽니다. ─── (✕)

(2) 색종이 수는 항상 모둠원 수의 3배입니다. ───── (○)

❖ (1) 12−4=8, 24−8=16, 36−12=24……
　　(2) 12÷4=3, 24÷8=3, 36÷12=3……

개념 2 비를 알아보기

04 그림을 보고 알맞은 비를 써 보세요.

(1) 수박 수에 대한 멜론 수의 비 (3 : 4)

(2) 멜론 수의 수박 수에 대한 비 (3 : 4)

❖ (1) 수박 수에 대한 멜론 수의 비 ➡ (멜론 수) : (수박 수)=3 : 4

　　(2) 멜론 수의 수박 수에 대한 비 ➡ (멜론 수) : (수박 수)=3 : 4

05 □ 안에 알맞은 수를 써넣으세요.

(1) 7 대 8 ➡ $\boxed{7}$: $\boxed{8}$　　　　(2) 11에 대한 8의 비 ➡ $\boxed{8}$: $\boxed{11}$

(3) 4의 5에 대한 비 ➡ $\boxed{4}$: $\boxed{5}$　　(4) 6과 7의 비 ➡ $\boxed{6}$: $\boxed{7}$

❖ ■ : ▲ ➡ ■ 대 ▲, ■와 ▲의 비, ■의 ▲에 대한 비, ▲에 대한 ■의 비

06 텔레비전을 보고 □ 안에 알맞은 수를 써넣으세요.

(1) 가로에 대한 세로의 비 ➡ $\boxed{50}$: $\boxed{89}$

(2) 세로에 대한 가로의 비 ➡ $\boxed{89}$: $\boxed{50}$

❖ (1) 가로에 대한 세로의 비 ➡ (세로) : (가로)=50 : 89

　　(2) 세로에 대한 가로의 비 ➡ (가로) : (세로)=89 : 50

정답과 풀이 p.17

단계 ② 교과서 개념 다지기

개념 3 비율을 알아보기

07 비교하는 양과 기준량을 찾아 쓰고 비율을 구해 보세요.

비	비교하는 양	기준량	비율	
			분수	소수
9 : 5	9	5	$\frac{9}{5}\left(=1\frac{4}{5}\right)$	1.8
11 : 20	11	20	$\frac{11}{20}$	0.55

❖ ■ : ▲ → $\frac{■}{▲}$

08 평행사변형의 밑변의 길이에 대한 높이의 비율을 분수와 소수로 각각 나타내어 보세요.

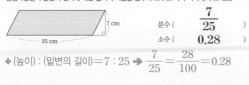

분수 ($\frac{7}{25}$)

소수 (0.28)

❖ (높이) : (밑변의 길이)=7 : 25 → $\frac{7}{25}=\frac{28}{100}=0.28$

09 관계있는 것끼리 선으로 이어 보세요.

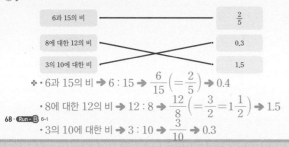

❖ ·6과 15의 비 → 6 : 15 → $\frac{6}{15}\left(=\frac{2}{5}\right)$ → 0.4

·8에 대한 12의 비 → 12 : 8 → $\frac{12}{8}\left(=\frac{3}{2}=1\frac{1}{2}\right)$ → 1.5

·3의 10에 대한 비 → 3 : 10 → $\frac{3}{10}$ → 0.3

개념 4 넓이에 대한 인구의 비율

10 예지네 마을의 넓이에 대한 인구의 비율을 구하려고 합니다. 물음에 답하세요.

우리 마을의 넓이는 5 km²이고 인구는 8000명이에요.

예지

(1) 기준량과 비교하는 양을 각각 찾아 써 보세요.

기준량 **넓이 또는 5 km²** 비교하는 양 **인구 또는 8000명**

(2) 예지네 마을의 넓이에 대한 인구의 비율을 구해 보세요.

$\frac{8000}{5}(=1600)$

❖ 넓이에 대한 인구의 비율 → $\frac{(인구)}{(넓이)}$

11 대한민국과 베트남의 인구와 넓이를 조사하여 나타낸 표입니다. 두 나라 중 인구가 더 밀집한 곳을 알아보려고 합니다. 물음에 답하세요.

넓이에 대한 인구의 비율이 클수록 인구가 더 밀집합니다.

나라	대한민국	베트남
인구(명)	5170만	9669만
넓이(km²)	10만	33만

(1) 두 나라의 넓이에 대한 인구의 비율을 각각 구해 보세요.

대한민국 $\frac{5170만}{10만}(=517)$

베트남 $\frac{9669만}{33만}(=293)$

(2) 두 나라 중 인구가 더 밀집한 곳은 어디일까요?

(대한민국)

❖ 넓이에 대한 인구의 비율이 클수록 인구가 더 밀집한 곳입니다.

단계 ② 교과서 개념 다지기

정답과 풀이 p.17

개념 5 백분율을 알아보기

12 그림을 보고 전체에 대한 색칠한 부분의 비율을 백분율로 나타내어 보세요.

(1) (60 %)   (2) (70 %)

❖ (1) 전체 5칸 중 색칠한 부분은 3칸이므로 $\frac{3}{5}\times100=60$ (%)입니다.

(2) 전체 10칸 중 색칠한 부분은 7칸이므로 $\frac{7}{10}\times100=70$ (%)입니다.

13 빈칸에 알맞은 수를 써넣으세요.

분수	소수	백분율(%)
$\frac{28}{100}\left(=\frac{7}{25}\right)$ $\frac{1}{4}$	0.25	25
	0.28	28
$\frac{7}{20}$	0.35	35

❖ $\frac{1}{4}=\frac{25}{100}=0.25$ → $0.25\times100=25$ (%)

$0.28=\frac{28}{100}=\frac{7}{25}$ → $\frac{7}{25}\times100=28$ (%)

$\frac{7}{20}=\frac{35}{100}=0.35$ → $0.35\times100=35$ (%)

14 비를 백분율로 나타내어 보세요.

(1) [6 : 25]   (2) [21과 50의 비]

(24 %)   (42 %)

❖ (1) 6 : 25 → $\frac{6}{25}\times100=24$ (%)

(2) 21 : 50 → $\frac{21}{50}\times100=42$ (%)

개념 6 비율의 크기 비교하기

15 두 비율의 크기를 비교하여 ○ 안에 >, =, <를 알맞게 써넣으세요.

(1) 0.25 ⟩ 20 %   (2) 30 % ⟨ $\frac{8}{25}$

❖ (1) $0.25\times100=25$ (%) → 25 % > 20 %

(2) $\frac{8}{25}\times100=32$ (%) → 30 % < 32 %

16 비율이 다른 하나를 찾아 기호를 써 보세요.

㉠ $\frac{13}{20}$ ㉡   ㉢ 0.65   ㉣ 65 %

(㉡)

❖ ㉠ $\frac{13}{20}\times100=65$ (%)   ㉡ $\frac{3}{4}\times100=75$ (%)

㉢ $0.65\times100=65$ (%)   ㉣ 65 %

17 비율이 가장 큰 비를 말한 사람의 이름을 써 보세요.

3 대 5 강호   2에 대한 1의 비 서희   4의 10에 대한 비 민기

(강호)

❖ [강호] 3 : 5 → $\frac{3}{5}\times100=60$ (%)

[서희] 1 : 2 → $\frac{1}{2}\times100=50$ (%)

[민기] 4 : 10 → $\frac{4}{10}\times100=40$ (%)

→ 60 % > 50 % > 40 %

(강호) (서희) (민기)

3단계 교과서 실력 다지기

정답과 풀이 p.18

★ 지도에서 비율 구하기

1 다음 지도에서 A부터 B까지 실제 거리는 600 m입니다. A부터 B까지 실제 거리에 대한 지도에서 거리의 비율을 분수로 나타내어 보세요.

$$\frac{6}{60000}\left(=\frac{1}{10000}\right)$$

개념 리드샘
① 1 m＝100 cm를 이용하여 실제 거리의 단위를 지도에서 거리와 같은 cm 단위로 바꿉니다.
② 실제 거리에 대한 지도에서 거리의 비율 → $\frac{\text{(지도에서 거리)}}{\text{(실제 거리)}}$

❖ 600 m＝60000 cm

1-1 진영이는 학교 숙제로 마을 지도를 그렸습니다. 진영이네 집에서부터 학교까지 실제 거리는 200 m인데 지도에서는 4 cm로 그렸습니다. 진영이네 집에서부터 학교까지 실제 거리에 대한 지도에서 거리의 비율을 분수로 나타내어 보세요.

$$\frac{4}{20000}\left(=\frac{1}{5000}\right)$$

❖ 200 m＝20000 cm

1-2 축척은 실제 거리에 대한 지도에서 거리의 비율입니다. 지도에서 거리가 2 cm일 때 실제 거리가 6 km인 지도가 있습니다. 이 지도의 축척을 기약분수로 나타내어 보세요.

($\frac{1}{300000}$)

❖ 6 km＝6000 m＝600000 cm

→ (축척)＝$\frac{\text{(지도에서 거리)}}{\text{(실제 거리)}}＝\frac{2}{600000}＝\frac{1}{300000}$

72 · Run-B 6-1

★ 도형에서 비율 구하기

2 다음 직사각형의 넓이는 60 cm²입니다. 이 직사각형의 가로에 대한 세로의 비율을 분수로 나타내어 보세요.

12 cm

⊕ $\frac{5}{12}$

개념 리드샘
① (직사각형의 넓이)＝(가로)×(세로)
② 가로에 대한 세로의 비율 → $\frac{\text{(세로)}}{\text{(가로)}}$

❖ 직사각형의 세로를 ☐ cm라 하면 12×☐＝60, ☐＝60÷12, ☐＝5입니다.
따라서 직사각형의 가로에 대한 세로의 비율은 $\frac{\text{(세로)}}{\text{(가로)}}＝\frac{5}{12}$입니다.

2-1 다음 평행사변형의 넓이는 200 cm²입니다. 이 평행사변형의 밑변의 길이에 대한 높이의 비율을 소수로 나타내어 보세요.

10 cm

(0.5)

❖ 평행사변형의 밑변의 길이를 ☐ cm라 하면 ☐×10＝200, ☐＝20입니다.
따라서 $\frac{\text{(높이)}}{\text{(밑변의 길이)}}＝\frac{10}{20}＝\frac{5}{10}＝0.5$입니다.

2-2 다음 삼각형의 넓이는 40 cm²입니다. 이 삼각형의 밑변의 길이에 대한 높이의 비율을 기약분수로 나타내어 보세요.

8 cm

($\frac{4}{5}$)

❖ 삼각형의 밑변의 길이를 ☐ cm라 하면 ☐×8÷2＝40, ☐×8＝80, ☐＝80÷8, ☐＝10입니다.
따라서 삼각형의 밑변의 길이에 대한 높이의 비율은 $\frac{\text{(높이)}}{\text{(밑변의 길이)}}＝\frac{8}{10}＝\frac{4}{5}$입니다.

4. 비와 비율 · 73

3단계 교과서 실력 다지기

정답과 풀이 p.18

★ 넓이에 대한 인구의 비율 구하기

3 다음은 두 마을의 인구와 넓이를 조사하여 나타낸 표입니다. 두 마을의 넓이에 대한 인구의 비율을 각각 자연수로 구하고 두 마을 중 인구가 더 밀집한 곳을 써 보세요.

마을	가 마을	나 마을
인구(명)	8000	9000
넓이(km²)	5	6

가 마을 (1600)
나 마을 (1500)
인구가 더 밀집한 곳 (가 마을)

개념 리드샘
① 넓이에 대한 인구의 비율 → $\frac{\text{(인구)}}{\text{(넓이)}}$
② 넓이에 대한 인구의 비율이 클수록 인구가 더 밀집한 곳입니다.

❖ 가 마을: $\frac{8000}{5}＝1600$, 나 마을: $\frac{9000}{6}＝1500$

3-1 서울과 강원도의 인구와 넓이를 조사하여 나타낸 표입니다. 두 지역의 넓이에 대한 인구의 비율을 각각 구하고 두 지역 중 인구가 더 밀집한 곳을 써 보세요. (단, 비율은 반올림하여 자연수로 나타냅니다.)

지역	서울	강원도
인구(명)	9857000	1550000
넓이(km²)	605	16875

(출처: 지방 자치 단체 행정 구역 및 인구 현황, 행정 안전부, 2017.)

서울 (16293)
강원도 (92)
인구가 더 밀집한 곳 (서울)

❖ (서울의 넓이에 대한 인구의 비율)＝$\frac{9857000}{605}＝16292.5……$ → 16293

(강원도의 넓이에 대한 인구의 비율)＝$\frac{1550000}{16875}＝91.8……$ → 92

★ 할인율 구하기

4 어느 가게에서 50000원에 판매하던 신발을 할인하여 35000원에 판매하고 있습니다. 이 신발의 할인율은 몇 %인지 구해 보세요.

⊕ 30 %

개념 리드샘
① (할인 금액)＝(원래 가격)－(할인된 판매 가격)
② (할인율)＝$\frac{\text{(할인 금액)}}{\text{(원래 가격)}}$×100

❖ (할인 금액)＝50000－35000＝15000(원)

→ (할인율)＝$\frac{15000}{50000}×100＝30$ (%)

4-1 어느 과일 가게에서 판매하는 과일의 가격을 나타낸 표입니다. 포도와 복숭아의 할인율은 각각 몇 %인지 구하고, 어느 과일의 할인율이 더 높은지 구해 보세요.

과일	포도	복숭아
원래 가격(원)	1000	800
할인된 판매 가격(원)	750	680

포도 (25 %)
복숭아 (15 %)
할인율이 더 높은 과일 (포도)

❖ 할인 금액: (포도)＝1000－750＝250(원), (복숭아)＝800－680＝120(원)

→ 할인율: (포도)＝$\frac{250}{1000}×100＝25$ (%), (복숭아)＝$\frac{120}{800}×100＝15$ (%)

4-2 어느 채소 가게에서 어제와 오늘 호박의 가격을 나타낸 표입니다. 오늘은 어제보다 호박 한 개의 가격이 몇 % 낮아졌는지 구해 보세요.

어제	오늘
호박 3개 3600원	호박 3개 2700원

(25 %)

❖ (어제 호박 1개의 가격)＝3600÷3＝1200(원)
(오늘 호박 1개의 가격)＝2700÷3＝900(원)

→ 오늘은 어제보다 호박 한 개의 가격은
1200－900＝300(원)이 낮아졌으므로

(낮아진 비율)＝$\frac{300}{1200}×100＝25$ (%)입니다.

4. 비와 비율 · 75

정답과 풀이 p.19

★ 소금의 양 구하기

5 그림과 같이 소금을 녹여 만든 소금물 500 g에서 소금물 양에 대한 소금 양의 비율은 10 %입니다. 이 소금물에 들어 있는 소금은 몇 g인지 구해 보세요.

답 **50 g**

개념 피드백 소금물 양에 대한 소금 양의 비율을 백분율로 나타내면 $\dfrac{(소금\ 양)}{(소금물\ 양)} \times 100$입니다.

❖ 소금 양을 □g이라 하면 $\dfrac{\square}{500} \times 100 = 10$, $\dfrac{\square}{5} = 10$, $\dfrac{\square}{5} = \dfrac{50}{5}$, □=50입니다.

5-1 소금물 양에 대한 소금 양의 비율이 4 %인 소금물 300 g이 있습니다. 이 소금물에 들어 있는 소금은 몇 g인지 구해 보세요.

(**12 g**)

❖ 소금 양을 □g이라 하면 $\dfrac{\square}{300} \times 100 = 4$, $\dfrac{\square}{3} = 4$, $\dfrac{\square}{3} = \dfrac{12}{3}$, □=12입니다.

5-2 소금물 양에 대한 소금 양의 비율이 5 %인 소금물을 만들려고 합니다. 소금을 25 g 넣었다면 물은 몇 g 넣어야 하는지 구해 보세요.

(1) 소금물은 몇 g일까요?

(**500 g**)

(2) 넣어야 하는 물은 몇 g일까요?

(**475 g**)

❖ (1) 소금물 양을 □g이라 하면 5 %는 $\dfrac{5}{100}$이므로 $\dfrac{25}{\square} = \dfrac{5}{100}$, $\dfrac{25}{\square} = \dfrac{25}{500}$, □=500입니다.

(2) (물의 양)=(소금물의 양)−(소금의 양)=500−25=475 (g)

★ 비율과 비교하는 양으로 기준량 구하기

6 서점에서 오른쪽과 같이 할인하는 책을 샀더니 원래 가격에서 3000원 할인해 주었습니다. 이 책의 원래 가격은 얼마인지 구해 보세요.

답 **20000원**

개념 리드북
① $(비율) = \dfrac{(비교하는\ 양)}{(기준량)}$ → (기준량)×(비율)=(비교하는 양), (기준량)=(비교하는 양)÷(비율)
② 기준량: 책의 원래 가격, 비교하는 양: 할인 금액, 비율: 할인율

❖ (책의 원래 가격)× $\dfrac{15}{100}$ = 3000, (책의 원래 가격)=3000÷15×100=20000(원)

6-1 어느 피자 가게에서 테이크 아웃을 하면 25 % 할인을 해 줍니다. 테이크 아웃을 하여 8000원을 할인 받았다면 피자의 원래 가격은 얼마인지 구해 보세요.

(**32000원**)

❖ (피자의 원래 가격)× $\dfrac{25}{100}$ = 8000, (피자의 원래 가격)=8000÷25×100=32000(원)

6-2 사진의 각 변의 길이를 120 % 확대한 것입니다. 처음 사진의 가로는 몇 cm인지 구해 보세요.

 →
? ‖ 18 cm

(**15 cm**)

❖ (처음 사진의 가로)× $\dfrac{120}{100}$ = 18, (처음 사진의 가로)=18÷120×100=15 (cm)

Test 교과서 서술형 연습

정답과 풀이 p.19

1 진우네 반은 남학생이 16명, 여학생이 19명입니다. 진우네 반 전체 학생 수에 대한 남학생 수의 비율을 분수로 나타내어 보세요.

✎ 구하려는 것, 주어진 것에 선을 그어 봅니다.

해결하기 진우네 반 전체 학생 수는 16+19=35(명)입니다.

진우네 반 전체 학생 수에 대한 남학생 수의 비는 16 : 35입니다.

따라서 진우네 반 전체 학생 수에 대한 남학생 수의 비율을 분수로 나타내면 $\dfrac{16}{35}$입니다.

답 구하기 $\dfrac{16}{35}$

2 → 주어진 것
버스에 승객이 25명 타고 있습니다. 이 중 남자가 13명일 때 여자 → 구하려는 것 승객 수에 대한 남자 승객 수의 비율을 분수로 나타내어 보세요.

✎ 구하려는 것, 주어진 것에 선을 그어 봅니다.

해결하기 (예) 여자 승객 수는 25−13=12(명)입니다. 여자 승객 수에 대한 남자 승객 수의 비는 (남자 승객 수) : (여자 승객 수)=13 : 12입니다. 따라서 여자 승객 수에 대한 남자 승객 수의 비율을 분수로 나타내면 $\dfrac{13}{12}\left(=1\dfrac{1}{12}\right)$입니다.

답 구하기 $\dfrac{13}{12}\left(=1\dfrac{1}{12}\right)$

3 야구 선수인 준우와 현서의 안타 기록입니다. 누구의 타율이 더 높은지 구해 보세요. (단, 타율은 전체 타수에 대한 안타 수의 비율입니다.)

준우 현서

✎ 구하려는 것, 주어진 것에 선을 그어 봅니다.

해결하기 준우의 타율을 소수로 나타내면 $\dfrac{40}{160} = \dfrac{1}{4} = \dfrac{25}{100} = 0.25$입니다.

현서의 타율을 소수로 나타내면 $\dfrac{81}{300} = \dfrac{27}{100} = 0.27$입니다.

따라서 현서 의 타율이 더 높습니다.

답 구하기 현서

4 → 주어진 것
주현이와 영선이는 농구를 했습니다. 주현이는 15번 던져서 9번을 넣었고, 영선이는 20번 던져서 11번을 넣었습니다. 주현이와 영선이 중 골 성공률은 누가 더 높은지 구해 보세요.

→ 구하려는 것

✎ 구하려는 것, 주어진 것에 선을 그어 봅니다

해결하기 (예) 주현이의 골 성공률을 소수로 나타내면 $\dfrac{9}{15} = \dfrac{3}{5} = \dfrac{6}{10} = 0.6$입니다.

영선이의 골 성공률을 소수로 나타내면 $\dfrac{11}{20} = \dfrac{55}{100} = 0.55$입니다.

답 구하기 주현

따라서 주현이의 골 성공률이 더 높습니다.

PLAY 사고력 개념 스토리 밀크티 잔 완성하기

밀크티에는 펄이 들어갑니다. 주문표에 있는 밀크티 양에 대한 펄 양의 비율을 구하고, 일정한 펄 또는 밀크티 붙임딱지를 붙여 보세요.

PLAY 사고력 개념 스토리 인형 할인 판매

인형 가게에서 인형을 할인하여 판매하고 있습니다. 할인율에 맞게 금액표 붙임딱지를 붙여 보세요.

1단계 교과 사고력 잡기

1 같은 시각에 나무와 휴지통의 그림자 길이를 재었습니다. 물음에 답하세요.

① 나무의 실제 높이에 대한 그림자 길이의 비율을 소수로 나타내어 보세요.

(**0.25**)

❖ $\dfrac{(\text{그림자 길이})}{(\text{나무의 실제 높이})} = \dfrac{40}{160} = \dfrac{1}{4} = \dfrac{25}{100} = 0.25$

② 휴지통의 실제 높이에 대한 그림자 길이의 비율을 소수로 나타내어 보세요.

(**0.25**)

❖ $\dfrac{(\text{그림자 길이})}{(\text{휴지통의 실제 높이})} = \dfrac{25}{100} = 0.25$

③ ①과 ②를 비교하고 알게 된 점을 한 가지 써 보세요.

예 같은 시각에 높이에 대한 그림자 길이의 비율은 같습니다.

④ 같은 시각에 높이가 400 cm인 건물의 그림자의 길이는 몇 cm일까요?

(**100 cm**)

❖ 건물의 그림자의 길이를 □ cm라고 하면 $\dfrac{□}{400} = 0.25$, $\dfrac{□}{400} = \dfrac{25}{100}$, $\dfrac{□}{400} = \dfrac{100}{400}$, □=100입니다.

2 헤미와 동진이는 사회 시간에 마을 지도를 그렸습니다. 각자의 집에서 마트까지 실제 거리에 대한 지도에서 거리의 비율이 더 큰 사람은 누구인지 구해 보세요.

① 헤미네 집에서 마트까지 실제 거리에 대한 지도에서 거리의 비율을 기약분수로 나타내어 보세요.

($\dfrac{1}{3000}$)

❖ 900 m=90000 cm ➡ $\dfrac{(\text{지도에서 거리})}{(\text{실제 거리})} = \dfrac{30}{90000} = \dfrac{1}{3000}$

② 동진이네 집에서 마트까지 실제 거리에 대한 지도에서 거리의 비율을 기약분수로 나타내어 보세요.

($\dfrac{1}{2000}$)

❖ 1 km=1000 m=100000 cm ➡ $\dfrac{(\text{지도에서 거리})}{(\text{실제 거리})} = \dfrac{50}{100000} = \dfrac{1}{2000}$

③ 헤미와 동진이 중 집에서 마트까지 실제 거리에 대한 지도에서 거리의 비율이 더 큰 사람은 누구일까요?

(**동진**)

❖ $\dfrac{1}{3000} < \dfrac{1}{2000}$ 이므로 비율이 더 큰 사람은 동진이입니다.

1단계 교과 사고력 잡기

3 전체 넓이가 500 m²인 밭에 다음과 같이 오이와 가지를 각각 심었습니다. 오이를 심은 밭의 넓이에 대한 가지를 심은 밭의 넓이의 비율은 몇 %인지 구해 보세요.

① 오이를 심은 밭의 넓이는 몇 m²일까요?

(**200 m²**)

❖ $500 \times \dfrac{40}{100} = 200 \,(\text{m}^2)$

② 오이를 심고 남은 밭의 넓이는 몇 m²일까요?

(**300 m²**)

❖ $500 - 200 = 300 \,(\text{m}^2)$

③ 가지를 심은 밭의 넓이는 몇 m²일까요?

(**120 m²**)

❖ $300 \times \dfrac{2}{5} = 120 \,(\text{m}^2)$

④ 오이를 심은 밭의 넓이에 대한 가지를 심은 밭의 넓이의 비율은 몇 %일까요?

(**60 %**)

❖ $\dfrac{(\text{가지를 심은 밭의 넓이})}{(\text{오이를 심은 밭의 넓이})} \times 100 = \dfrac{120}{200} \times 100 = 60 \,(\%)$

4 어느 은행에 5년 동안 예금하였을 때 예금한 돈과 이자를 나타낸 것입니다. 매년 이자는 같습니다. 이 은행에 80만 원을 1년 동안 예금하였을 때 이자를 구해 보세요.

예금한 돈	예금한 기간	이자
100만 원	5년	150000원

① 100만 원을 1년 동안 예금하였을 때 이자는 얼마일까요?

(**30000원**)

❖ (1년 동안의 이자)=(5년 동안의 이자)÷5
　　　　　　　　　=150000÷5=30000(원)

② 알맞은 말이나 수를 찾아 □ 안에 써넣으세요.

┌─────────────────────────┐
│ 100 　 예금한 돈 　 1년 동안의 이자 │
└─────────────────────────┘

$(\text{이자율}) = \dfrac{\boxed{1\text{년 동안의 이자}}}{\boxed{\text{예금한 돈}}} \times \boxed{100}$

③ 예금한 돈에 대한 1년 동안의 이자의 비율은 몇 %일까요?

(**3 %**)

❖ $(\text{이자율}) = \dfrac{(\text{1년 동안의 이자})}{(\text{예금한 돈})} \times 100 = \dfrac{30000}{1000000} \times 100 = 3 \,(\%)$

④ 80만 원을 1년 동안 예금하였을 때 이자는 얼마일까요?

(**24000원**)

❖ $3\% = \dfrac{3}{100}$ ➡ $800000 \times \dfrac{3}{100} = 24000(\text{원})$

원래 가격 할인율	20000원	32000원	24000원
25 %	20000×0.75=15000(원)	32000×0.75=24000(원)	24000×0.75=18000(원)
30 %	20000×0.7=14000(원)	32000×0.7=22400(원)	24000×0.7=16800(원)
20 %	20000×0.8=16000(원)	32000×0.8=25600(원)	24000×0.8=19200(원)

2단계 교과 사고력 확장

정답과 풀이 p.22

1 윤하, 현서, 서희가 조건을 두 가지씩 말하고 있습니다. 조건에 맞는 ⓒ에 대한 ㉠의 비율을 기약분수로 각각 나타내어 보세요.

$\dfrac{\text{㉠}}{\text{ⓒ}}$

❶
- ⓛ에 대한 ㉠의 비율은 $\dfrac{7}{12}$입니다.
- ⓒ에 대한 ⓛ의 비율은 $\dfrac{3}{14}$입니다.

($\dfrac{1}{8}$)

❖ $\dfrac{㉠}{ⓛ}=\dfrac{7}{12}$, $\dfrac{ⓛ}{ⓒ}=\dfrac{3}{14}$

→ $\dfrac{㉠}{ⓒ}=\dfrac{㉠}{ⓛ}×\dfrac{ⓛ}{ⓒ}$이므로 $\dfrac{㉠}{ⓒ}=\dfrac{\overset{1}{\cancel{7}}}{12}×\dfrac{\overset{}{\cancel{3}}}{14}=\dfrac{1}{8}$입니다.

❷
- ⓒ에 대한 ⓛ의 비율은 1.6입니다.
- ⓛ에 대한 ㉠의 비율은 $\dfrac{3}{4}$입니다.

($\dfrac{6}{5}\left(=1\dfrac{1}{5}\right)$)

❖ $\dfrac{ⓛ}{ⓒ}=1.6=\dfrac{16}{10}=\dfrac{8}{5}$, $\dfrac{㉠}{ⓛ}=\dfrac{3}{4}$

→ $\dfrac{㉠}{ⓒ}=\dfrac{ⓛ}{ⓒ}×\dfrac{㉠}{ⓛ}$이므로 $\dfrac{㉠}{ⓒ}=\dfrac{\overset{2}{\cancel{8}}}{5}×\dfrac{3}{\underset{1}{\cancel{4}}}=\dfrac{6}{5}\left(=1\dfrac{1}{5}\right)$입니다.

❸
- ㉠에 대한 ⓛ의 비율은 0.4입니다.
- ⓛ에 대한 ⓒ의 비율은 $1\dfrac{7}{8}$입니다.

($\dfrac{4}{3}\left(=1\dfrac{1}{3}\right)$)

❖ $\dfrac{ⓛ}{㉠}=0.4=\dfrac{4}{10}=\dfrac{2}{5}$, $\dfrac{ⓒ}{ⓛ}=1\dfrac{7}{8}=\dfrac{15}{8}$

→ $\dfrac{ⓛ}{㉠}×\dfrac{ⓒ}{ⓛ}=\dfrac{ⓒ}{㉠}$ → $\dfrac{ⓒ}{㉠}=\dfrac{\overset{1}{\cancel{2}}}{\underset{1}{3}}×\dfrac{\overset{3}{\cancel{15}}}{\underset{4}{\cancel{8}}}=\dfrac{3}{4}$ → $\dfrac{㉠}{ⓒ}=\dfrac{4}{3}\left(=1\dfrac{1}{3}\right)$

2 A 피자 가게는 개업 기념으로 피자를 할인 판매하고 있습니다. 피자 종류, 할인권, 할인된 판매 가격을 알맞게 선으로 이어 보세요. (단, 피자 종류, 할인권, 할인된 판매 가격은 빠짐없이 모두 선으로 하나씩 이어집니다.)

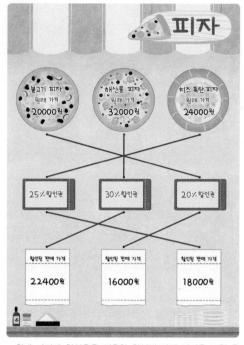

❖ 원래 가격에 할인율을 적용한 할인된 판매 가격을 구한 후 문제에 주어진 할인된 판매 가격을 찾아봅니다.

4주 사고력

2단계 교과 사고력 확장

정답과 풀이 p.22

3 사각형 모양의 두 마을이 있습니다. 달님 마을과 햇살 마을 중 인구가 더 밀집한 마을은 어느 마을인지 구해 보세요.

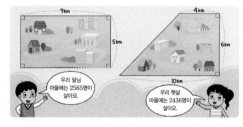

❶ 달님 마을 넓이에 대한 인구의 비율을 자연수로 나타내어 보세요.

(**57**)

❖ (달님 마을의 넓이)=9×5=45 (km²)

→ $\dfrac{(인구)}{(넓이)}=\dfrac{2565}{45}=57$

❷ 햇살 마을 넓이에 대한 인구의 비율을 자연수로 나타내어 보세요.

(**58**)

❖ (햇살 마을의 넓이)=(4+10)×6÷2=42 (km²)

→ $\dfrac{(인구)}{(넓이)}=\dfrac{2436}{42}=58$

❸ 두 마을 중 인구가 더 밀집한 마을은 어디일까요?

(**햇살 마을**)

❖ 57<58이므로 햇살 마을의 인구가 더 밀집되어 있습니다.

4 동우는 거실을 꾸미기 위해 액자에 맞게 원본 사진의 각 변의 길이를 확대했습니다. 원본 사진에 찍힌 의자와 나무의 높이는 확대한 사진에서 각각 몇 cm인지 구해 보세요.

원본 사진　　　확대한 사진

❶ 원본 사진의 가로에 대한 확대한 사진의 가로의 비율을 백분율로 나타내어 보세요.

(**140 %**)

❖ $\dfrac{112}{80}×100=140\,(\%)$

❷ 원본 사진의 세로에 대한 확대한 사진의 세로의 비율을 백분율로 나타내어 보세요.

(**140 %**)

❖ $\dfrac{70}{50}×100=140\,(\%)$

❸ 확대한 사진에서 의자의 높이는 몇 cm일까요?

(**21 cm**)

❖ $15×\dfrac{140}{100}=21\,(cm)$

❹ 확대한 사진에서 나무의 높이는 몇 cm일까요?

(**56 cm**)

❖ $40×\dfrac{140}{100}=56\,(cm)$

4주 사고력

3단계 교과 사고력 완성

평가 영역 □개념 이해력 ☑개념 응용력 □창의력 □문제 해결력

1 그림은 정사각형과 직각삼각형입니다. 정사각형의 넓이에 대한 직각삼각형의 넓이의 비율을 기약분수로 나타내어 보세요.

둘레 24 cm

5 cm
8 cm

($\dfrac{5}{9}$)

❖ (정사각형의 둘레)=(한 변의 길이)×4이므로
정사각형의 한 변의 길이는 24÷4=6 (cm)입니다.
→ (정사각형의 넓이)=(한 변의 길이)×(한 변의 길이)=6×6=36 (cm²)
(직각삼각형의 넓이)=(밑변의 길이)×(높이)÷2=8×5÷2=20 (cm²)
➡ $\dfrac{(직각삼각형의 넓이)}{(정사각형의 넓이)}=\dfrac{20}{36}=\dfrac{5}{9}$

평가 영역 □개념 이해력 ☑개념 응용력 □창의력 □문제 해결력

2 그림은 직사각형과 마름모입니다. 직사각형의 넓이에 대한 마름모의 넓이의 비율을 소수로 나타내어 보세요.

둘레 30 cm
5 cm

10 cm
12 cm

(1.2)

❖ (직사각형의 둘레)=(가로+세로)×2이므로 직사각형의 세로를 □ cm라 하면
(5+□)×2=30, 5+□=15, □=10입니다.
→ (직사각형의 넓이)=(가로)×(세로)=5×10=50 (cm²)
(마름모의 넓이)=(한 대각선의 길이)×(다른 대각선의 길이)÷2
=12×10÷2=60 (cm²)
➡ $\dfrac{(마름모의 넓이)}{(직사각형의 넓이)}=\dfrac{60}{50}=\dfrac{12}{10}=1.2$

평가 영역 □개념 이해력 ☑개념 응용력 ☑창의력 ☑문제 해결력

3 A 은행과 B 은행에 1년 동안 예금한 돈과 이자를 나타낸 표입니다. 어느 은행에 예금하는 것이 더 이익인지 구해 보세요.

은행	예금한 돈	이자
A 은행	50000원	1500원
B 은행	80000원	3200원

(B 은행)

❖ (A 은행의 이자율)=$\dfrac{(이자)}{(예금한 돈)}×100=\dfrac{1500}{50000}×100=3\,(\%)$

(B 은행의 이자율)=$\dfrac{3200}{80000}×100=4\,(\%)$

➡ 3 %＜4 %이므로 이자율이 높은 B 은행에 예금하는 것이 더 이익입니다.

평가 영역 □개념 이해력 □개념 응용력 □창의력 ☑문제 해결력

4 보람 은행과 힘찬 은행에 1년 동안 예금한 돈과 이자를 나타낸 표입니다. 은주가 말한 조건에 맞는 은행에 100만 원을 1년 동안 예금하면 이자는 얼마일까요?

은행	예금한 돈	이자
보람 은행	75000원	1500원
힘찬 은행	80000원	2000원

같은 금액을 같은 기간 동안 예금할 때 더 이익인 은행에 예금할 거야.
은주

(25000원)

❖ (보람 은행의 이자율)=$\dfrac{1500}{75000}×100=2\,(\%)$

(힘찬 은행의 이자율)=$\dfrac{2000}{80000}×100=2.5\,(\%)$

→ 2 %＜2.5 %이므로 이자율이 높은 힘찬 은행에 예금하는 것이 더 이익입니다.
➡ (100만 원을 1년 동안 힘찬 은행에 예금한 이자)=1000000×0.025
=25000(원)

Test 종합평가   4. 비와 비율

맞은 개수

1 그림을 보고 □ 안에 알맞은 수를 써넣으세요.

(1) 흰 바둑돌은 검은 바둑돌보다 **3** 개 더 많습니다.

(2) 흰 바둑돌 수는 검은 바둑돌 수의 **2** 배입니다.

❖ (1) (흰 바둑돌 수)-(검은 바둑돌 수)=6-3=3(개)
(2) (흰 바둑돌 수)÷(검은 바둑돌 수)=6÷3=2(배)

2 비를 보고 □ 안에 알맞은 수를 써넣으세요.

6 : 13

┌ **6** 대 **13**
├ **6** 과 **13** 의 비
├ **13** 에 대한 **6** 의 비
└ **6** 의 **13** 에 대한 비

❖ ■ : ▲ ➡ ■ 대 ▲, ■와 ▲의 비, ▲에 대한 ■의 비, ■의 ▲에 대한 비

3 비교하는 양과 기준량을 찾아 써 보세요.

비	비교하는 양	기준량
11 : 15	**11**	**15**
8과 12의 비	**8**	**12**

❖ ★과 ♥의 비 → ★ : ♥

4 비율을 분수와 소수로 각각 나타내어 보세요.

5에 대한 4의 비

분수 ($\dfrac{4}{5}$)
소수 (0.8)

❖ 4 : 5 → $\dfrac{4}{5}=\dfrac{8}{10}=0.8$

5 다음 중 기준량을 나타내는 수가 다른 하나는 어느 것입니까? ………………(⑤)

① 5와 8의 비 ② 8에 대한 9의 비 ③ 15 대 8
④ 21 : 8 ⑤ 8의 17에 대한 비

❖ ① 5:8 ② 9:8 ③ 15:8 ④ 21:8 ⑤ 8:17

[6~7] 동전 한 개를 10번 던져 나온 면을 나타낸 표입니다. 물음에 답하세요.

회차	1	2	3	4	5
나온 면	그림	숫자	숫자	그림	숫자
회차	6	7	8	9	10
나온 면	숫자	그림	그림	숫자	숫자

6 동전을 던진 횟수에 대한 그림 면이 나온 횟수의 비를 써 보세요.

(4 : 10)

❖ (그림 면이 나온 횟수) : (동전을 던진 횟수)=4 : 10

7 동전을 던진 횟수에 대한 그림 면이 나온 횟수의 비율을 분수와 소수로 각각 나타내어 보세요.

분수 ($\dfrac{4}{10}\left(=\dfrac{2}{5}\right)$)
소수 (0.4)

❖ 4 : 10 → $\dfrac{4}{10}\left(=\dfrac{2}{5}\right)=0.4$

8 전체에 대한 색칠한 부분의 비율은 몇 %일까요?

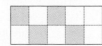

(40 %)

❖ 전체 10칸 중 색칠한 부분은 4칸이므로 $\dfrac{4}{10}×100=40\,(\%)$입니다.

Test 종합평가 4. 비와 비율 정답과 풀이 p.24

9 비를 보고 비율로 나타낸 것입니다. 빈칸에 알맞은 수를 써넣으세요.

비	분수	소수	백분율(%)
3 : 4	$\dfrac{3}{4}$	0.75	75
17 : 20	$\dfrac{17}{20}$	0.85	85

❖ $3:4 \rightarrow \dfrac{3}{4} = \dfrac{75}{100} = 0.75 \rightarrow 0.75 \times 100 = 75 (\%)$

$17:20 \rightarrow \dfrac{17}{20} = \dfrac{85}{100} = 0.85 \rightarrow 0.85 \times 100 = 85 (\%)$

10 알맞은 말에 ○표 하고 이유를 써서 설명을 완성해 보세요.

은주

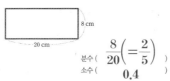
3 : 4는 4 : 3과 (같습니다. 다릅니다)

그 이유는 **예 3 : 4는 기준이 4이지만, 4 : 3은 기준이 3이기 때문입니다.**

11 철사로 만든 직사각형입니다. 가로에 대한 세로의 비율을 분수와 소수로 각각 나타내어 보세요.

8 cm
20 cm

분수 ($\dfrac{8}{20}\left(=\dfrac{2}{5}\right)$)
소수 (**0.4**)

❖ (세로) : (가로) = 8 : 20

$\rightarrow \dfrac{8}{20} = \dfrac{2}{5}, \dfrac{2}{5} = \dfrac{4}{10} = 0.4$

96 · Run- **B** 6-1

12 소금 90 g을 녹여 소금물 450 g을 만들었습니다. 소금물 양에 대한 소금 양의 비율은 몇 %일까요?

(**20 %**)

❖ $\dfrac{90}{450} \times 100 = 20 (\%)$

13 수홍이가 자전거를 타고 2160 m를 가는 데 8분이 걸렸습니다. 걸린 시간(분)에 대한 간 거리(m)의 비율을 구해 보세요.

($\dfrac{2160}{8} (=270)$)

❖ $\dfrac{(간 거리)}{(걸린 시간)} = \dfrac{2160}{8} = 270$

14 빵 가게에서 모든 빵을 20 % 할인하여 판매한다고 합니다. 원래 가격이 오른쪽과 같은 도넛을 얼마에 살 수 있을까요?

(**1200원**) 1500원

❖ 20 %를 할인하여 판매하므로 원래 가격의 80 % 가격으로 살 수 있습니다.

따라서 1500원짜리 도넛은 $1500 \times \dfrac{80}{100} = 1200(원)$에 살 수 있습니다.

15 정아네 반은 남학생이 12명, 여학생이 18명입니다. 정아네 반 전체 학생 수에 대한 남학생 수의 비율을 소수로 나타내어 보세요.

(**0.4**)

❖ (정아네 반 전체 학생 수) = 12 + 18 = 30(명)

$\rightarrow \dfrac{(남학생 수)}{(전체 학생 수)} = \dfrac{12}{30} = \dfrac{4}{10} = 0.4$

4. 비와 비율 · **97**

Test 종합평가 4. 비와 비율 정답과 풀이 p.24

16 비율만큼 색칠해 보세요.

예

0.25

❖ $0.25 = \dfrac{25}{100} = \dfrac{1}{4}$이고 전체는 16칸입니다.

$\rightarrow \dfrac{1}{4} = \dfrac{4}{16}$이므로 16칸 중 4칸을 색칠합니다.

17 비율이 큰 것부터 차례로 기호를 써 보세요.

| ㉠ 0.17 | ㉡ $\dfrac{1}{5}$ | ㉢ 24 % | ㉣ $\dfrac{4}{25}$ |

(㉢, ㉡, ㉠, ㉣)

❖ ㉠ $0.17 \times 100 = 17 (\%)$, ㉡ $\dfrac{1}{5} \times 100 = 20 (\%)$,

㉢ 24 %, ㉣ $\dfrac{4}{25} \times 100 = 16 (\%)$

18 효민이가 30만 원을 1년 동안 예금하여 1년 후에 찾은 돈이 306000원이었습니다. 효민이가 1년 동안 예금한 돈에 대한 이자의 비율을 백분율로 나타내어 보세요.

(**2 %**)

❖ (이자) = 306000 − 300000 = 6000(원)

$\rightarrow \dfrac{6000}{300000} \times 100 = 2 (\%)$

19 다음과 같이 할인하는 인형을 13000원에 샀습니다. 인형의 원래 가격은 얼마일까요?

35% 할인

(**20000원**)

❖ 할인율이 35 %이므로 인형의 원래 가격의 65 %로 샀습니다.

인형의 원래 가격을 ☐원이라 하면 $\dfrac{13000}{☐} = \dfrac{65}{100}, \dfrac{13000}{☐} = \dfrac{13}{20}$,

$\dfrac{13000}{☐} = \dfrac{13000}{20000}$, ☐ = 20000입니다.

특강 창의·융합 사고력 정답과 풀이 p.24

① 민재네 도시에서는 마라톤 대회가 열렸습니다. 결승점까지 완주한 참가자에게는 메달과 상장이 주어집니다. 참가자 중 65 %만 완주에 성공했고 이 중에서 45 %가 여성입니다. 완주한 여성 참가자는 모두 몇 명인지 구해 보세요.

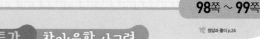
참가한 사람은 모두 400명이에요.
FINISH
마라톤 접수처

(**117명**)

❖ (완주한 참가자 수) = $400 \times \dfrac{65}{100} = 260$(명)

$\rightarrow$ (완주한 여성 참가자 수) = $260 \times \dfrac{45}{100} = 117$(명)

② 떨어진 높이의 80 %만큼 튀어 오르는 공이 있습니다. 이 공을 높이가 2 m인 곳에서 떨어뜨렸을 때 두 번째로 튀어 오른 높이는 몇 cm인지 구해 보세요.

2 m
?

(**128 cm**)

❖ 2 m = 200 cm

(공이 첫 번째로 튀어 오른 높이) = $200 \times \dfrac{80}{100} = 160$ (cm)

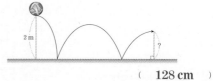

(공이 두 번째로 튀어 오른 높이) = $160 \times \dfrac{80}{100} = 128$ (cm)

4. 비와 비율 · **99**

단원별 기초 연산 드릴 학습서

최강 단원별 연산은 내게 맡겨라!

천재
계산박사

교과과정 바탕

교서서 주요 내용을
단원별로 세분화한 12단계 구성으로
실력에 맞는 단계부터 시작 가능!

연산 유형 마스터

원리 학습에서 계산 방법 익히고,
문제를 반복 연습하여
초등 수학 단원별 연산 완성!

재미 UP! QR 학습

딱딱하고 수동적인 연산학습은 NO!
QR 코드를 통한 〈문제 생성기〉와
〈학습 게임〉으로 재미있는 수학 공부!

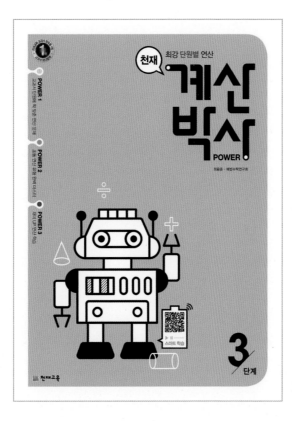

탄탄한 기초는 물론
계산력까지 확실하게!
초등1~6학년(총 12단계)

정답은
이안에
있어 !

난이도 별점
쉬움 ★
보통 ★★★
어려움 ★★★★★
최상위 ★★★★★★★

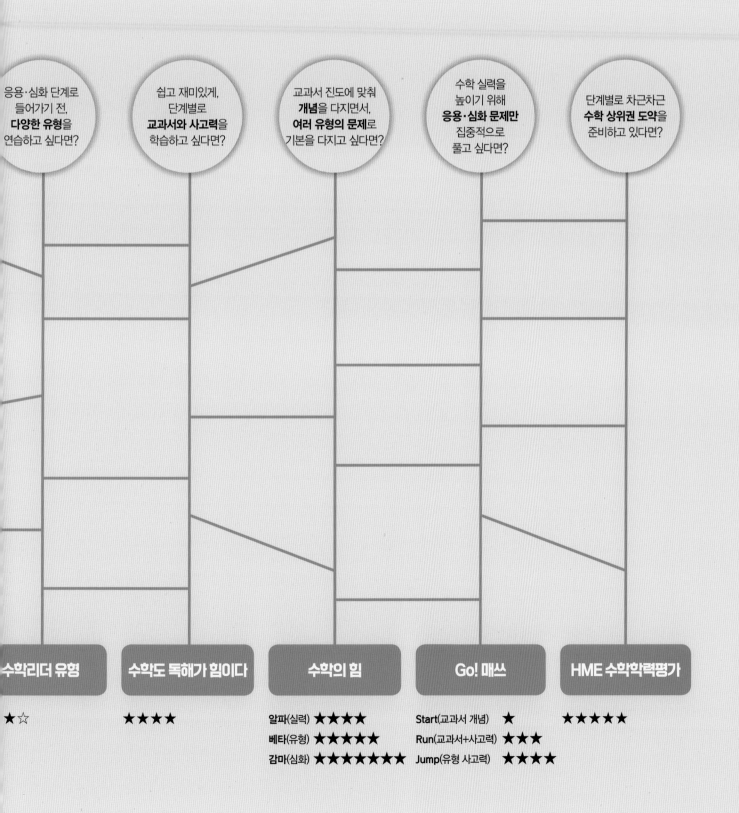

응용·심화 단계로
들어가기 전,
다양한 유형을
연습하고 싶다면?

쉽고 재미있게,
단계별로
교과서와 사고력을
학습하고 싶다면?

교과서 진도에 맞춰
개념을 다지면서,
여러 유형의 문제로
기본을 다지고 싶다면?

수학 실력을
높이기 위해
응용·심화 문제만
집중적으로
풀고 싶다면?

단계별로 차근차근
수학 상위권 도약을
준비하고 있다면?

수학리더 유형	수학도 독해가 힘이다	수학의 힘	Go! 매쓰	HME 수학학력평가
★☆	★★★★	알파(실력) ★★★★	Start(교과서 개념) ★	★★★★★
		베타(유형) ★★★★★	Run(교과서+사고력) ★★★	
		감마(심화) ★★★★★★★	Jump(유형 사고력) ★★★★	

배움으로 행복한 내일을 꿈꾸는
천재교육 커뮤니티 안내 · · ·

 교재 안내부터 구매까지 한 번에!
천재교육 홈페이지

천재교육 홈페이지에서는 자사가 발행하는 참고서,
교과서에 대한 소개는 물론 도서 구매도 할 수 있습니다.
회원에게 지급되는 별을 모아 다양한 상품 응모에도
도전해 보세요.

 구독, 좋아요는 필수! 핵유용 정보 가득한
천재교육 유튜브 <천재TV>

신간에 대한 자세한 정보가 궁금하세요?
참고서를 어떻게 활용해야 할지 고민인가요?
공부 외 다양한 고민을 해결해 줄 채널이 필요한가요?
학생들에게 꼭 필요한 콘텐츠로 가득한 천재TV로 놀러오세요!

 다양한 교육 꿀팁에 깜짝 이벤트는 덤!
천재교육 인스타그램

천재교육의 새롭고 중요한 소식을 가장 먼저 접하고 싶다면?
천재교육 인스타그램 팔로우가 필수!
누구보다 빠르고 재미있게 천재교육의 소식을 전달합니다.
깜짝 이벤트도 수시로 진행되니 놓치지 마세요!